聖賢之道

湯一介

戊子年夏

國學基本教材

千字文

汪佳敏◎编注

浙江古籍出版社

“国学基本教材”编辑委员会

统　　筹：

孙劲松　向　珂　蒋蔚芳　周金芝

主　　编：李耐儒

编　　委：

李南晖　陆有富　刘乃溪　徐　骆　须　强

可延涛　李　凯　刘　舫　毛文琦　房春草

李宏哲　张　华　黄晓芳　赵立学　介江岭

张志强　姜李勤　白　坤　晏子然　施仲贞

张　琰　汪佳敏　姚之均　余雅汝　干璐娜

本册编注：汪佳敏

总 序

秋霞圃书院创办有年，在民间推动国学普及工作，志在以独立之精神、自由之思想为宗旨，促进古今中外文化思想与学术的交流，为中华民族文化的复兴而尽心尽力。其志可嘉，其行可感！

近年，秋霞圃书院耐儒兄主持编撰“国学基本教材”。本套国学教材集复旦大学、武汉大学、南开大学、中山大学、华东师范大学、上海师范大学等名牌院校的二十多名青年学人，采各种版本的国学读本之长，广泛吸取中小学一线语文教师的教学经验，精心编撰，是中小学生比较理想的国学读本，也是便于教师们使用的、较为系统的国学教材。

读本的篇目有：《弟子规》、《三字经》、《千字文》、《千家诗选读》、《幼学琼林》、《诗词格律》、《唐诗选读》、《宋词选读》、《论语》（上、下）、《史记选读》（上、下）、《大学 中庸》、《诗经选读》、《孟子》（上、下）、《左传选读》、《颜氏家训》、《诸子文选》（上、下）、《汉魏六朝文选》、《唐宋文选》、《礼记选读》、《楚辞选读》。每册有指导性概述，有经典原文，有对原文的注释与新译（赏析），并配上文史链接（延伸阅读）、思考讨论等，图文并茂，准确生动，具有可读性与系统性。

梁启超先生说过，《论语》、《孟子》等经典“是两千年国人思想的总源泉，支配着中国人的内外生活，其中有益身心的圣哲格言，一部分久已在我们全社会形成共同意识，我们既做这社会的一分子，总要彻底了解它，才不致和共同意识生隔阂”。这就是说，“四

书”等经典表达了以“仁爱”为中心的“仁义礼智信”等中华民族的核心价值观念，这是中国古代老百姓的日用常行之道，人们就是按此信念而生活的。

中国文化的大传统与小传统是打通了的。国学具有平民化与草根性的特点。中国民间流传着的谚语是：“勿以善小而不为，勿以恶小而为之”；“老吾老以及人之老，幼吾幼以及人之幼”；“积善之家必有余庆，积不善之家必有余殃”。这些来自中国经典的精神，透过《弟子规》、《三字经》、《百家姓》、《千字文》、《千家诗》等蒙学读物及家训、族规、乡约、谱牒、善书，通过大众口耳相传的韵语故事、俚曲戏文、常言俗话，成为“百姓日用而不知”的言行规范。

南宋以后在我国与东亚的民间社会流传甚广、深入人心的朱熹《家训》说:“事师长贵乎礼也，交朋友贵乎信也。见老者，敬之；见幼者，爱之。有德者，年虽下于我，我必尊之；不肖者，年虽高于我，我必远之。”“人有小过，含容而忍之；人有大过，以理而谕之。勿以善小而不为，勿以恶小而为之。”又说，“勿损人而利己，勿妒贤而嫉能。勿称忿而报横逆，勿非礼而害物命。见不义之财勿取，遇合理之事则从……子孙不可不教，童仆不可不恤。斯文不可不敬，患难不可不扶。”朱子说此乃日用常行之道，人不可一日无也。应当说，这些内容来源于诗书礼乐之教、孔孟之道，又十分贴近大众。它内蕴着个人与社会的道德，长期以来成为老百姓的生活哲学。

王应麟的《三字经》开宗明义：“人之初，性本善。性相近，习相远。苟不教，性乃迁。教之道，贵以专。”这就把孔子、孟子、荀子关于人性的看法以简化的方式表达了出来。儒家强调性善，又强调人性的养育与训练。

清代李毓秀《弟子规》的总序说:“弟子规，圣人训。首孝弟，次谨信。泛爱众，而亲仁，有余力，则学文。”以下分成“入则孝”、“出则悌”、“谨而信”、“泛爱众而亲仁”等几部分。这些纲目都来自《论语》。《弟子规》中对孩童举止方面的一些要求，如站立时昂首挺胸、双腿站直，见到长辈主动行礼问好，开门关门轻手轻脚，不用力甩门等，这些规范都是文明人起码应有的，是尊重他人而又自尊的体现。又如:“晨必盥，兼漱口，便溺回，辄净手。冠必正，纽必结，袜与履，俱紧切。”“斗闹场，绝勿近，邪僻事，绝勿问。将入门，问孰存，将上堂，声必扬。”“用人物，须明求，倘不问，即为偷。借人物，及时还，后有急，借不难。”这都是有助于文明社会的建构的，是文明人的生活习惯，也是今天社会公德的基础。

朱柏庐在《朱子治家格言》起首的一段说：“黎明即起，洒扫庭除，要内外整洁;既昏便息，关锁门户，必亲自检点。一粥一饭，当思来处不易；半丝半缕，恒念物力维艰。”这些都是平实不过的道理，体现到一个人身上就是他的家教。旧时骂人，说某某没有家教，那是很重的话，让其全家蒙羞。我们不是要让青少年一定要做多少家务，而是要他们从小学就动手打理好自己与家庭的事情，不要过分依赖父母，依赖他人，能够自己挺立起来，培养责任意识。同时，知道一粥一饭、半丝半缕都是辛劳所得，我们能够懂得去尊重家长与别人的劳动。如果我们真的有敬畏之心，就知道珍惜，不应该浪费。

南开中学的前身天津私立中学堂成立于1904年10月，老校长严范孙亲笔写下“容止格言”:“面必净，发必理，衣必整，纽必结。头容正，肩容平，胸容宽，背容直。气象:勿傲，勿暴，勿怠。颜色:宜和，宜静，宜庄。”这四十字箴言来自蒙学，又是该校对学生容貌、行止的基本要求。校内设整容镜，师生进校时都要照镜正容色。

后来张伯苓先生治校，坚持了这些做法。

蔡元培先生在留德期间撰写了《中学修身教科书》，该书被商务印书馆于1912年至1921年间共印行了十六版，他还为赴法华工写了《华工学校讲义》，两书在民国间影响甚大，今人将其合为《国民修养二种》一书。蔡先生在民国初年为中学生与赴法劳工写教科书,重视社会基层的公民教育。蔡先生的用心颇值得我们重视，他从孝敬父母谈起，创造性地转化本土的文化资源，特别是以儒家道德资源来为近代转型的中国社会的公德建设与公民教育服务。

现今南京夫子庙小学的校训是“亲仁、尚礼、志学、善艺”。我认为这是非常好的。对孩童、少年的教育，首先是培养健康的心性才情，从日常生活习惯，从待人接物开始，学会自重与尊重别人。

我们今天强调成人教育，因为仅有成才教育是不够的，成才教育忽略了我们作为完整的人、健康的人所必需的一些素养，它在人格养成方面几乎是空白。这不是大学教育才有的问题，而是幼儿园、中小学教育就该关注的。养育青少年的性情，需要家庭、学校、社会的配合。

国学当中有很多修身成德、培养君子人格的内容。中国古典的教育，其实就是博雅教育。传统的教育并不是道德说教，也不是填鸭式满堂灌的教育，而是春风化雨似的，让学生在点滴中有所收获并自己体验，如诗教、礼教、乐教等。

我觉得应该让孩子们处在良好的文化氛围中。家长、老师们要以身作则、言传身教，这对孩子们影响很大。家长、老师有义务端正自己的言行，尤其在孩子们面前。要培养孩子分辨是非的能力，多在性情教育上下工夫，关注孩子的心理健康，多与孩子交流，洞察他们的情感，并作正确的引导。现在一些家长做不到以身作则，他们撒谎骗人，打骂斗狠，不尊重老人，这些都会给孩子的成长烙下负面的印记。

我们也希望同学们能趁着年轻记性好，多读些经典，最好能背诵一些，其中的意思以后可以慢慢领悟。南宋思想家陈亮说过：“童子以记诵为能，少壮以学识为本，老成以德业为重……故君子之道不以其所已能者为足，而尝以其未能者为歉，一日课一日之功，月异而岁不同，孜孜矻矻，死而后已。”

本丛书所收经典与蒙学读物中有很多圣哲格言，都足以让我们受用终身。我们一直希望能有多一些的国学经典进入中小学课堂，至少让“四书”进入教材。我们希望能多一些国文课，让中小学生能接受到系统的传统语言与文化教育。中华民族有很多优根性，更需大大弘扬。

是为序。

郭齐勇

癸巳春于珞珈山

目　录

概 述

一、作者考证

一篇千字的启蒙读物，为历代书家书写、临摹。它包罗万象，流传了一千四百多年。这篇读物就是《千字文》。

根据史书记载，《千字文》是南朝梁武帝在位时期（502—549）编成的，编者是梁朝散骑侍郎、给事中周兴嗣（sì）。

周兴嗣，字思纂（zuǎn），生活在南朝（宋、齐、梁、陈）的齐梁时期，是陈郡项人。生年不详，卒于梁武帝普通二年（521）。周兴嗣十三岁就到京师游学，十多年后博学通达，尤其擅长文字学。他在南齐做过阳郡丞，萧衍（yǎn）代齐称帝后，被封为安城王国侍郎。作此文时任员外散骑侍郎。

相传，梁武帝一生戎马倥偬（kǒng zǒng），很希望自己的后代能在太平时期多读些书，但当时尚未有一本适合的启蒙读物。起初，他令一位名叫殷铁石的文学侍从，从晋代大书法家王羲之的手迹中取一千个各不相干的字，每张纸写一个字，然后一字一字地教学，但学生们都感到杂乱难记。梁武帝寻思，若是将这一千字编撰成一篇文章，岂不妙哉！于是，他召来自己最信赖的周兴嗣，讲了自己的想法，说：“爱卿才思敏捷，请为我将这一千字编撰成一篇押韵的启蒙读物。”周

兴嗣接受任务回到家后，苦思冥想了一整夜，方才文思如泉涌。他乐不可支，边吟边写，终将这一千字联串成一篇内涵丰富的四言韵文。梁武帝读后，拍案叫绝。即刻令人刊之于世。这就是流传至今的《千字文》。

二、编排思想与体例

《千字文》行文流畅，气势磅礴（páng bó），辞藻华丽，包罗万象。全文有条不紊地介绍了宇宙、天文、自然、地理、社会、历史、修身养性、人伦道德、农耕、祭祀、园艺和日常饮食起居等各个方面的内容。根据汪啸尹纂辑、孙谦益参注的《千字文释义》，本书将《千字文》分为四部分。

从第 1 句“天地玄黄”开始，至第 36 句“赖及万方”为第一部分。这一部分从天地开辟讲起，有了天地，就有日月、星辰、云雨和四时寒暑的变化，并孕生出金玉、珍宝、果品以及江河湖海、飞鸟游鱼等，进而有了人类的出现和时代的变迁。这一部分具有趣味性和系统性，介绍了世界上的事与物，对于少年儿童的启蒙教育和识字练习有很好的作用。

从第 37 句“盖此身发”开始，至第 102 句“好爵自縻”为第二部分。这一部分重在讲述人的修养标准和方法，也就是修身功夫。其中指出人要孝亲，珍惜父母赐予的身体；做人要知过必改，讲忠信，树立良好的形象。这些行为规范流传了几千年，让小孩子从小接受仁义道德的教育，对于人格的塑造和品性的培养是很有必要的，对人们的日常行为及立身处世能起到规范和指导的作用。

自第 103 句“都邑华夏”起，至第 162 句“岩岫杳冥”为第三部分。这一部分讲述的是与政治统治有关的内容。开篇即描绘都邑的壮丽，并且叙述统治阶级的奢华生活和文治武功，最后描述国家疆域的广阔和风景的秀美。古代的社会结构和今天有很大的不同，今天的社会没有森严的等级制度，每个人都是独立自由的个体。同时，风景秀美的大好河山是每个中国人的宝贵财富。我们欣赏大自然的美景的同时也要有保护意识，让子孙后代也可以享受到同样的美景。

自第 163 句“治本于农”起，至第 248 句“愚蒙等诮”为第四部分，这一部分讲述的是齐家治国之道。《千字文》的作者周兴嗣对那些不为名利羁绊（jī bàn）的人极为赞赏，对于人间温情也是极为向往的。他认为读书人首先要把自己的家庭关系处理好，然后才可以去博取功名，进而参与处理国家大事。

考虑到本书为现代小学生的课外读物、启蒙读本，在体例方面，每一节主要包括原文、注释、要旨、经典故事、知识链接以及思考讨论六个部分。第一，原文或四句或八句不等，并注以拼音。第二，注释主要解释原文的关键字、词、句。第三，要旨是对原文和注释的综合解释。第四，经典故事是在对原文的理解基础上延伸出的相应的历史逸事，以期使学生对该节有所认识。第五，知识链接则是在原文的基础上作科学知识的补充，或者对原文的出处进行补充介绍。第六，思考讨论是结合以上五点的知识，在每一个章节结束处总结、提问，使学生深入思考古代的言行论说是否适用于现代社会。

三、影响与意义

《千字文》是我国早期的蒙学读本，被认为是世界上现存成书最早、使用时间最久、影响最大的识字课本。它用一千个汉字勾画出了一部完整的中国文化史的基本轮廓，代表了中国传统教育启蒙阶段的最高水平。隋唐以来，背诵《千字文》被视为识字教育的捷径；明清以后，《三字经》、《百家姓》、《千字文》是家诵人习的所谓“三百千”。过去有打油诗讲私塾：“学童三五并排坐，‘天地玄黄’喊一年。”正是其真实的写照。

《千字文》不仅被各地蒙馆塾师用作儿童读本，也为社会上很多行业所采用，考场试卷的编号、商业账册编号、大部头书籍编号之类的都以《千字文》字序为序。后来出现了满汉、蒙汉文的对照本，甚至还远传日本。日本书商就曾将胡曾的《咏史诗》、李瀚的《蒙求》与周兴嗣的《千字文》合刻在一起，称为《明本排字增广附音释文三注》。

由于历代大书法家都曾书写过《千字文》，更使《千字文》成为人们学习书法的范本。智永禅师就曾亲自临摹（mó）八百本《千字文》散发到民间。流传至今的还有唐怀素、欧阳询、宋徽（huī）宗赵佶（jí），元赵孟頫（fǔ），明代文征明等众多书法名家书写的各种字体的范本。值得注意的是，《千字文》问世后，各种续编本和别编本也很多，如《续千字文》、《再续千字文》、《别本千字文》等，但无论哪一种续本和别本都不能与周兴嗣的《千字文》相比肩。它们虽在一时一地流行过，但有的仅有记载，有的虽保存至今，可也影响不大。时间是对《千字文》，也是对所有图书最好的考验。

《千字文》通篇首尾连贯，音韵谐美，读起来朗朗上口，既是一首四言长诗，也是一部袖珍百科知识全书。历史上很多文人都对《千字文》推崇备至。明代古文大家王世贞称此书为“绝妙文章”，清人褚（chǔ）人穫（huò）评价这本书：“局于有限之字而能条理贯穿，毫无舛（chuǎn）错，如舞霓裳于寸木，抽长绪于乱丝。”意为：“用有限的文字却能条理清晰，前后通畅地讲述知识与道理。”

蒙学识字阶段的教学，多要求能识字、背书，并不强求懂得多少内容。七八岁的儿童把《千字文》背熟，往往终生难忘。他们在以后的成长过程中将会逐渐理解其内容，反复加以体会。另外，从小培养小孩子基本的道德观念，对他们以后的人生修养和道德意识的形成都是大有裨（bì）益的。

第一章　天人自然

tiān dì xuán huáng　yǔ zhòu hóng huāng
天地玄黄[1]，宇宙洪荒[2]。

rì yuè yíng zè　chén xiù liè zhāng
日月盈昃[3]，辰宿列张[4]。

本节写宇宙的诞生和日月星辰等天文现象。

注释

[1] 玄黄：指天地的颜色。玄，深蓝近于黑的颜色，为天色。黄，黄色，为地色。　[2] 宇：上下四方，指空间。宙：古往今来，指时间。洪荒：混沌、蒙昧的状态。借指远古时代。　[3] 盈：满，满月。昃：太阳西斜。　[4] 辰：星体的总称，俗称星辰。狭义的辰指北辰，即北斗七星。宿：列星。列张：排列分布。

要旨

天是黑色的，地是黄色的，宇宙形成于混沌、蒙昧的状态中。太阳正了又斜，月亮圆了又缺，星辰遍布在无边的天空中。

经典故事

盘古开天

人类始祖盘古用大斧劈开包围着他的混沌之气。清和轻的部分缓缓上升，化为天；浊且重的部分渐渐下沉，化为地。盘古害怕天地又重合起来，自己再次陷入混沌黑暗中，就咬着牙，双脚蹬地，两臂用力撑起天空。

盘古

盘古身体长得很快，只要他长高一点，天地之间的距离就远一点。年复一年，日复一日，天越来越高，地越来越厚，盘古已成了一位高达九万里的巨人，天与地再也无法合拢了。

有一天，他实在太累了，轰然倒下，从此再也没有站起来。盘古死后，他的身体各部分化为了太阳、月亮、山岳、江河、田地……

当然，以上仅仅是我国的一个神话传说。随着科学的发展，人们对宇宙有了更深刻的认识。目前学术界影响较大的“大爆炸宇宙论”认为最初宇宙的物质集中在一个超原子的“宇宙蛋”里，在一次无与伦比的大爆炸中分裂成无数碎片，经一系列元素演化，最后形成星球、星系及今天的宇宙。

科学的推测和神话传说多么相似。亲爱的小朋友们，请发挥丰富的想象，去探索无穷的宇宙吧！

知识链接

宇宙中的星球

水星、金星、地球、火星、木星、土星、天王星和海王星八大行星是太阳的八个儿子。在宇宙飞船上看地球，她是一个美丽的蓝色星球，表面绝大部分被水覆盖，是名副其实的“水球”。

思考讨论

东汉时期的张衡根据“浑天说”，再经过实际观测，制作了“浑天仪”。“浑天仪”是用来观察天象的，其形状就像一个大大的球，球面上刻着赤道、黄道、南北极、二十四节气、二十八星宿等天文地理现象。请问《千字文》中与“浑天说”相对应的语句是哪一句呢？传说中天空和大地的颜色和我们今天看到的一样吗？

hán lái shǔ wǎng, qiū shōu dōng cáng.
寒来暑往[1]，秋收冬藏[2]。
rùn yú chéng suì, lǜ lǚ tiáo yáng.
闰余成岁[3]，律吕调阳[4]。
yún téng zhì yǔ, lù jié wéi shuāng.
云腾致雨[5]，露结为霜[6]。

本节写物候、古代的历法和雨露云霜的形成。

注释

[1]寒来暑往：指一年四季的交替。　[2]秋收冬藏：指谷物在春天播种，在夏天成长，在秋天收获，然后在冬天储藏。　[3]闰余成岁：阴历和阳历1年相差11天，3年相差33天，这多出来的一个月放在第四年就是闰月，这年也就是闰年。闰，闰月。余，剩余。岁，年。　[4]律吕：中国古代将一个八度分为十二个不完全相等的半音，从低到高依次排列，每个半音称为一律，其中奇数各律为阳律，叫做“六律”，偶数各律为阴律，叫做“六吕”，合称“律吕”。[5]腾：升腾。致：形成。　[6]霜：云、雨、露、霜是水在不同温度下的不同形态，云是气体，雨和露是液体，霜是固体。地面上的水蒸气向上升腾，随着温度逐渐下降，就慢慢变成了雨水；到了晚上，地表气温降低，水蒸气凝结在地表形成白色的霜。

要旨

寒暑循环交替，来了又去，去了又来；秋季忙收割，冬季忙储藏。

积累数年的闰余合并成一个月，放在闰年里；古人用六律六吕调节阴阳。

云气升到天空遇冷就形成了雨，露水在夜里遇冷就凝结成了霜。

经典故事

伶伦创音律

伶伦是黄帝手下一名优秀的年轻乐官，黄帝把定制音律的重任交给了他。

他辛苦三年，仍未确定音律，他吹出的笛声尖利刺耳，不仅身边的人说难听，就是动物听了也被吓跑了。据说有一次，黄帝的马听到伶伦的笛声，吓得四蹄腾空，结果害得黄帝从马背上摔了下来。

有一天，伶伦独自一人来到凤岭，无意中听见树上两只五彩斑斓的鸟儿的鸣叫。鸟声婉转悠扬，悦耳动听。伶伦情不自禁地拿起自制的乐管，模仿鸟儿的叫声吹了起来。就在他吹得起劲时，两只鸟儿却突然停止了鸣叫，展翅飞走了。

伶伦回去把此事报告给黄帝，还把学来的鸟鸣吹给黄帝听。黄帝听后高兴地说："这是鸟中之王凤凰的叫声！雄为凤，雌为凰。"于是伶伦回到凤岭，专等凤凰鸣叫。伶伦根据凤凰鸣叫的两个六声，经过长时间的揣摩、推敲，终于创制出音乐上的十二音律，受到黄帝的赞扬。

在此之后，伶伦又将各种飞禽走兽的叫声都一一记录下来，不断丰富他所创制的音律，被后世誉为"音乐之祖"。

知识链接

十二平均律

在世界音乐发展史上，十二平均律是一项具有里程碑意义的发明，现今全世界乐器的十之八九都要依照十二平均律标准来定音。值得自豪的是，第一位创立十二平均律的是我国明代大音乐家朱载堉（yù）。

公元1584年，朱载堉在自己的科学名著《律学新说》中，完整地阐述了十二平均律的理论及计算方法，这本书后来传到欧洲，对西方音乐界产生了深远的影响，朱载堉也随之享誉世界。

思考讨论

小朋友，你会写音乐上用的简谱符号吗？你认识五线谱吗？中国古代定制出音律的人是谁呢？

jīn shēng lì shuǐ yù chū kūn gāng
金生丽水[1]，玉出昆冈[2]。
jiàn hào jù què zhū chēng yè guāng
剑号巨阙[3]，珠称夜光[4]。

本节写大地上稀有的物产。

注释

[1] 丽水：指金沙江流入今云南丽江境内的一段，出产黄金。 [2] 昆冈：指我国西部的昆仑山，出产美玉。[3] 巨阙：春秋时期越国欧冶子所铸五大名剑之一，其余依次为纯钧、湛卢、胜邪、鱼肠，全都锋利无比，尤以巨阙为最。[4] 夜光：夜明珠，珍珠中最珍贵的一种。

要旨

黄金产于金沙江，玉石出自昆仑山。

最锋利的宝剑叫“巨阙”，最珍贵的明珠叫“夜光”。

经典故事

神　剑

欧冶子铸造了五把宝剑，其中有三把长的，两把短的，都锋利无比。巨阙剑就是这三把长剑中的一把，另外两把是湛卢剑、纯钧剑。

据说巨阙剑初成时，还没有名字。一日，越王勾践坐于露台上，忽见宫中有一马车失控，横冲直奔，惊吓了宫中饲养的白鹿。于是他拔出欧冶子刚铸成的剑，指向暴走中的马车，欲命勇士上前制止。就在这拔剑一指时，手中的剑气却将马车砍为两节。越王勾践又命人取来一口大铁锅，用此剑一刺，便将铁锅刺出一个大缺口。这一剑毫不费力，就好像切米糕一样轻松，因此越王勾践便将此剑命名为巨阙。

越王勾践剑

鱼肠剑的传说与“专诸刺吴王僚”有关。剑客专诸，受吴公子光收买，要刺杀吴王僚。吴王僚爱吃烤鱼，专诸就假扮厨师，手托鱼盘，在鱼肚子里暗藏利刃，趁机刺杀了吴王僚。那把锋利的短剑就被后人称作鱼肠剑。后来，吴公子光取得了王位，这才出现了吴国打败楚国、越国打败吴国等一连串精彩的故事。

知识链接

玉　石

中国的四大名玉，是指新疆的和田玉、辽宁岫岩的岫玉、河南南阳的独山玉及湖北郧（yún）县的绿松石。其中，闻名天下的和氏璧属于独山玉。

玉石的加工要经过割锯、琢磨、抛光、上蜡四个过程，其中前两个环节决定玉石的形态和质量。割锯是在锯割机上将玉石材料分割成适当的形态和大小，而琢磨决定着玉器造型的优劣。

思考讨论

你知道中国各地都盛产什么吗？不妨上网去了解一下。

guǒ	zhēn	lǐ	nài		cài	zhòng	jiè	jiāng	
果	珍	李	柰[1]	，	菜	重	芥	姜[2]	。
hǎi	xián	hé	dàn		lín	qián	yǔ	xiáng	
海	咸	河	淡	，	鳞	潜	羽	翔[3]	。

本节写果蔬、地理与生物现象。

注释

[1]李：李子。柰：柰子，俗称桃李。　[2]芥：芥菜。姜：生姜。芥菜和生姜不仅能够用来做调味品，而且还能用来开窍、解毒，排除人体内的邪气。　[3]鳞：鱼鳞，这里借指鱼类。羽：羽毛，这里借指飞鸟类。古人将地球上所有的动物，按其体表特征分为五大类，即鳞类、羽类、毛皮类、甲壳类和裸类。人类属于裸类。此处虽然只提到鳞、羽两类，却囊括了除人以外的四类动物形态。鳞类中最高级的生命形式是龙，羽类是凤，甲壳类是龟，毛皮类则是麒麟，因此"麟凤龟龙，谓之四灵"。

要旨

水果中最珍贵的是李子和柰子；蔬菜中最重要的是芥菜和生姜。

海水咸，河水淡；鱼在水中潜游，鸟在天空飞翔。

经典故事

神农氏的传说

神农氏

远古时代，人们以狩猎为生，但因为工具简陋，捕捉到的野兽往往不够吃。传说炎帝教大家耕田种地，带领大伙制作各种农具，大兴水利，教大伙识别五谷，种植百果，使人类能够世世代代生存下去。因此，人们称炎帝为神农。

神农看到人们经常因为乱吃东西而得病，甚至丧命；在疾病面前，人类一点办法都没有，只能等死。他决心要尝遍百草，这样就可以知道什么可以吃，什么不可以吃；什么有毒，什么能够治病。

下定决心后，神农淌过江河溪流，越过高山峻岭，尝遍奇花异草。每尝一样，觉得可以吃的，就放在左边的口袋里，将来给人种植食用；觉得能治病的，就放到右边的口袋里，将来当药用。

传说神农最先发现的是一种嫩叶，吃了以后舒服极了，还能解毒。神农就把它命名为“查”，也就是我们现在所喝的茶叶。从那以后，神农偶尔尝到毒草时，就赶紧吃几片“查”解毒。

很多年过去了，神农认识了许多药草，用他们救了无数人的性命。可是有一次，神农不幸尝到了断肠草，他还来不及吃“查”解毒，就毒发身亡。神农临死前还紧紧地抱着他采的药草。

人们隆重地安葬了神农，尊他为农耕和医药之祖。

虽然这仅仅是民间传说，但是，从中可以看到中华文明发展的渊源。

知识链接

海水为什么会是咸的

海水里含有大量盐，四大洋所含的盐分各不相同，如果把全世界的海水里的盐都提取出来，可以在整个地球表面铺五十米厚。

海水里的盐有两个来源：其一，海洋形成的时候，海底岩石里的盐溶入海水中；其二，亿万年以来，不断有陆地风化岩石和剥蚀岩石里的盐被冲走，流入海洋里。

思考讨论

这一节我们接触到了一些日常生活中常见的水果和蔬菜，知道了“查”的作用。你还知道哪些蔬果及其作用呢？

lóng shī huǒ dì, niǎo guān rén huáng
龙师火帝[1]，鸟官人皇[2]。

shǐ zhì wén zì, nǎi fú yī cháng
始制文字[3]，乃服衣裳[4]。

本节写中华文明最初形成过程。

注释

[1] 龙师：指人文始祖伏羲氏。传说上古时，伏羲氏降伏了一只来自黄河的龙头马身的怪兽，受龙马身上图纹的启发，创制了八卦，并以“龙”命名百官。火帝：指燧人氏，他发明了钻木取火，教人烧烤食物。 [2] 鸟官：指黄帝的儿子少昊氏。传说当时天下太平，有吉祥的凤鸟飞来，于是他以“鸟”命名百官。人皇：指传说中三皇之一，生有九头，出巡时乘六鸟所驾云车。 [3] 制文字：传说仓颉创造了文字。 [4] 服衣裳：传说嫘（léi）祖发明了蚕丝制衣。

要旨

龙师、火帝、鸟官、人皇，都是上古时代的帝皇。

有了仓颉，人们开始使用汉字，有了嫘祖，人们才穿起来了衣裳。

经典故事

仓颉造字

仓颉

盘古开天辟地以后，人类经过了几十万年没有文字的日子。到黄帝时代，出了个能人仓颉。相传仓颉“始作书契，以代结绳”。

由于当时没有文字，人们结绳记事。有一天，仓颉在统计圈里的牲口数目，竟在几根绳子上打了大大小小好几百个绳结，直打得手指发酸。这样太麻烦了，他想。于是他又在绳子上穿上各式各样的贝壳来代替绳结。牲口数目增加了，就添上一个贝壳；减少了，就去掉一个贝壳。

黄帝觉得仓颉很能干，又派给他新任务，希望他能把部落人丁的增减、每年祭祀的次数都记录下来。

仓颉苦思冥想，有一次，他蹲在河边的沙滩上，边想边用树枝画个不停。突然，他发现地上有水鸟留下的足迹，仓颉的脑海中闪过一丝亮光：“既然脚印能够代表野兽，我为什么不能用符号来表示各种东西呢？”于是仓颉开始画各种符号来表示事物，他把这种符号叫做“字”。果然“字”这种记事办法简单多了，而且比绳结等方法能记录更多内容。黄帝知道后，大加赞赏，命令仓颉到各个部落去教授文字。

据说，仓颉创造出汉字的那一天，天上下起了纷纷扬扬的谷子雨。地上的人们兴高采烈地载歌载舞。后人把这天定名谷雨节，成为二十四节气之一。今天，仍有很多人建议把谷雨节定为汉字节，以纪念仓颉。

知识链接

中国古代的衣与裳

在现代生活中，“衣裳（shāng）”是服装的统称。但在古时候，衣裳（cháng）是有上下区分的。上身穿的叫做衣，用来避寒暑的；下身穿的则称为“裳”，是用来遮羞的。

“上衣下裳”是中国最早的服装形制之一，为汉服体系的第一种款式。古代文献以及出土的人形陶器证明：“上衣下裳”的服装形制最迟在商代就已经形成,后来又被称为“短打”，因为其便于劳作，多为劳动人民所穿。

“衣”为缝有袖筒、前开式的服装，衣襟右掩的称为右衽（rèn），衣襟左掩的称为左衽。“裳”在最初只是将布裁成两片围在身上，到了汉代，才开始把前后两片连起来，成为筒状，这就是现在所说的“裙”。

思考讨论

相传发明“钻木取火”、创造文字、发明“蚕丝制衣”的人分别是谁？

tuī wèi ràng guó，yǒu yú táo táng

推位让国，有虞陶唐[1]。

diào mín fá zuì，zhōu fā yīn tāng

吊民伐罪[2]，周发殷汤[3]。

zuò cháo wèn dào，chuí gǒng pián zhāng

坐朝问道，垂拱平章[4]。

ài yù lí shǒu，chén fú róng qiāng

爱育黎首[5]，臣伏戎羌[6]。

xiá ěr yī tǐ，shuài bīn guī wáng

遐迩一体[7]，率宾归王[8]。

本节写仁君将帝位让予贤德之人，替天行道，讨伐邪恶，虚心纳谏，爱护子民，远近百姓，都来归顺。

注释

[1] 有虞：有虞氏，传说中的远古部落名，舜是首领。这里指舜，又称虞舜。陶唐：陶唐氏，传说中的远古部落名，尧是首领。这里指尧，又称唐尧。尧当了七十年君主，他死时把君位让给了舜；舜当了五十年君主，又把君位传给了禹，史称“禅（shàn）让”。 [2] 吊：安慰、安抚。伐：征伐、讨伐。 [3] 周发：西周的第一个君主武王姬（jī）发，他讨伐暴君商纣王而建立周朝。殷汤：历史上商朝又称殷，成汤是第一个君主，他讨伐夏朝暴君桀（jié）而建立商朝。 [4] 垂拱：语出《尚书·武成》：“惇信明义，崇德报功，垂拱而天下治。”意思是不做什么而天下太平。多用作称颂皇帝无为而治的套语。平章：辨别彰明。平，辨别。章通“彰”，彰明。 [5] 爱：爱抚、体恤。黎首：百姓。 [6] 戎、羌：

古时候的少数民族。 [7] 遐迩：指远近。 [8] 率宾：指四海之内，出自《诗经》：“普天之下，莫非王土；率土之滨，莫非王臣。”

要旨

唐尧、虞舜英明无私，主动把君位禅让给功臣贤人。

安抚百姓、讨伐暴君的是周武王姬发和商君成汤。

贤君身坐朝廷，与众大臣探讨治国之道，垂衣拱手，不亲理事务而天下太平。

他们爱护、体恤百姓，四方各族人民都来归附。

远近都统一在一起，天下百姓都顺从。

经典故事

鹿台之祸

商朝的最后一个帝王是历史上有名的暴君——纣王。他大肆搜刮百姓，在都城朝歌附近给自己修建了一座豪华奢侈的宫苑——鹿台，并终日与美女妲己沉溺于歌舞，过着酒池肉林的荒淫生活。他还任用奸臣，迫害忠良，以致民不聊生。

这时候，渭水流域姬昌领导的周族崛起。经过多年的励精图治，周对商朝逐渐形成了包围之势。武王姬发继位后，以德治国，国富兵强，诸侯国纷纷归附。在姜太公的辅佐下，周武王率领数万英勇善战的将士向朝歌进发，讨伐商纣。

周武王来到朝歌郊外的牧野，左手拿着闪闪发亮的、象

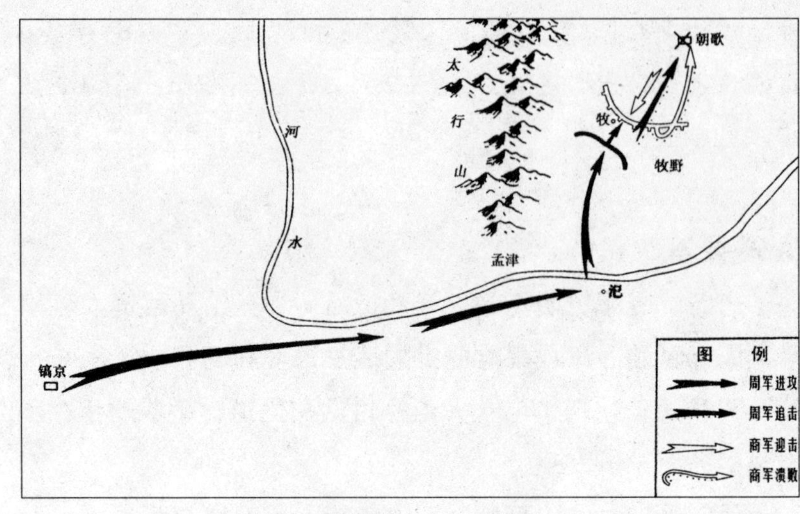

商周牧野之战作战经过示意图

征权力的黄铜战斧，右手挥动着白色的指挥旗，慷慨激昂地举行誓师大会，历数纣王的累累罪行。将士们备受鼓舞，勇猛而又信心满满地奔赴战场。而此时，商军的主力在外，临时拼凑的军队都由罪犯、奴隶组成，这些人既没斗志又没经过训练，刚一交战，便溃不成军；还有许多战士不满纣王的暴虐，临阵倒戈。商纣王见大势已去，慌忙逃回朝歌，和妲己自焚于平日寻欢作乐的鹿台。

知识链接

我国古代的少数民族——戎、羌

戎，先秦时期西北民族，又称西戎，常用来泛指非华夏民族。春秋时期戎人相当活跃，允姓之戎经常侵扰周朝边疆，给周朝人民带来了很大痛苦。

甲骨文中有一个也是唯一一个关于民族（氏族、部落）称号的文字，即“羌”，是中国人类族号最早的记载。《说文·羊部》：“羌，西戎牧羊人也，从人从羊，羊亦声。”羌，是当时中原部落对西部游牧民族的泛称。羌族不是一个单一的民族，他们有不同的语言、服饰、习俗等，唯一的共同点可能就只是“逐水草而居”的游牧生活方式。

思考讨论

与伙伴们讨论一下：一个英明的君王需要哪些能力和品德？

míng fèng zài zhú，bái jū shí cháng。
鸣凤在竹，白驹食场[1]。
huà pī cǎo mù，lài jí wàn fāng。
化被草木[2]，赖及万方[3]。

本节写仁君的恩泽惠及万物。

注释

[1] 白驹食场：语出《诗经·小雅·白驹》“皎皎白驹，食我场苗”。驹，小马。 [2] 被：通“披”，遍及。 [3] 赖：利，有利。万方：各个地方。

要旨

凤凰在竹林中欢乐地鸣叫，小白马在草地上自由地吃草。贤君的仁德惠及草木，恩泽遍及天下百姓。

经典故事

绝笔于获麟

凤凰和麒麟都是传说中的珍禽仁兽，人们以为它们平常是不会出现的，只有在以道德仁义为教化的太平盛世才会出现。而且它们即使出现，一般人也看不到。据说孔子诞生的时候，便出现了麒麟。

鲁哀公十四年的时候，孔子六十九岁，正在写作《春秋》，鲁国有人打猎捕获了一只怪兽，因为不认识是什么，便送给孔子看。孔子一看，认出是麒麟，流泪叹气说：“这是麒麟啊！可惜，你却生不逢时啊！”

这样吉祥的动物竟然被人捕获，实在不是好的预兆。孔子认为这也预示自己的政治理想不能实现，叹气说：“我的理想是绝不会实现了！”所以，他的《春秋》也就此搁笔了。

古代乐舞图（汉画像）

知识链接

笙

笙是中国最古老的乐器之一，有着三千多年的历史。它以簧、管配合震动发音，是世界上大多数簧片乐器的始祖。笙在盛唐时期就传到了朝鲜半岛和日本，后来又经丝绸之路传到波斯和欧洲，西方音乐家根据笙的簧片原理发明了风琴、口琴、手风琴等乐器。传统的笙一般是十三或十七簧，经改进后，簧数最多可以增加到四十二簧。著名的笙独奏曲包括《晋调》、《冬猎》。

思考讨论

关于凤凰或者麒麟的故事，你还知道哪些呢？

第二章 修身养性

gài cǐ shēn fà[1], sì dà wǔ cháng[2]。
盖此身发，四大五常。

gōng wéi jū yǎng[3], qǐ gǎn huǐ shāng。
恭惟鞠养，岂敢毁伤。

本节写身体发肤，受之父母，不可损毁。

注释

[1]盖：句首发语词，无实义。身发：指身体。 [2]四大：指地、水、火、风。五常：儒家规定的五种做人原则，即仁、义、礼、智、信。 [3]恭：恭敬，谦逊。惟：顺从。鞠养：抚养、养育。

要旨

人的身体发肤分别属于“四大”，言行要符合“五常”。恭蒙父母养育之恩，怎敢对身体有丝毫损伤？

经典故事

范宣惜身报母恩

古人认为，身体发肤受之父母，不能随便改变或伤害，否则就是不孝。

西晋时期，有一个大学问家叫范宣。他小时候聪明乖巧、孝顺父母。范宣八岁的时候，有一天，他在菜园子挖菜时不小心弄伤了手指，血从指尖上流出来，范宣难过得大哭起来。

邻居家的爷爷听到范宣的哭声后，急忙跑来安慰："孩子，你为什么哭得这么伤心？疼吗？"

范宣抽泣着答道："爷爷，我不是因为疼才哭的，而是因为身体发肤受之父母，不能随便伤害。父母一定会因为我的手指受伤流血而担心、心疼，我真是不孝啊。我是因为惭愧才哭的。"

爷爷听了，欣慰地摸摸他的头，说："难得你小小年纪就懂得这个道理，真是个孝顺的好孩子！"

小伙伴们，孝顺父母最简单、最容易的方式就是好好照顾自己，不让身体受到伤害，不让辛劳的父母为我们担心操劳。你能做到吗？

知识链接

物质构成世界

《千字文》里说："盖此身发，四大五常。"四大，指地、水、火、风，印度古代认为这四种物质构成了世界。

《圣经·旧约·创世纪》说，上帝在一周内依次造出了白天、黑夜、空气、水、植物、日月星辰、动物和人。天地万物都造齐了，第七天就成为休息日。

自然界中的事物是按照自身所固有的规律形成和发展的，都有自己的起源和发展史，都是统一的物质世界的组成部分。宇宙间根本不存在上帝，当然也不会有上帝创造世界的活动。

辩证唯物主义的物质概念，概括了宇宙间一切客观存在着的事物和现象的共同特征，而不是指某一具体事物形态。无论是天地自然，还是从大自然中孕育而来的人类社会，它们在本质上都是物质的。

思考讨论

你是孝顺的孩子吗？问问爸爸妈妈的看法吧。如果你和父母的评价不一致，想想是为什么；如果一致，想想以后还可以在哪些方面努力。

nǚ mù zhēn jié nán xiào cái liáng
女慕贞洁[1]，男效才良[2]。
zhī guò bì gǎi dé néng mò wàng
知过必改，得能莫忘[3]。

本节写人应通过向优秀人物学习和自我修正的方式来提高自身修养。

注释

[1]慕：倾慕、仰慕。贞：忠贞。洁：洁白。　[2]才：

有才之人。良：有德之人。　[3] 得：获得。能：才能。

要旨

女子应仰慕那些为人称道的忠贞女子，男子应效仿那些德才兼备的人。

知道自己有了过错，一定要改正；自己有能力去做到的事，一定不要放弃。

经典故事

无面目石狮

潮州市龙湖镇龙湖乡有一刘厝（cuò）祠，祠堂门前立着两只大狮子，一只威武气派，另一只萎靡不振，倦无面目，这是为什么呢？

这要追溯到古人刘子兴和成子学二人间的故事。

刘子兴和成子学从小一起读书，情同手足。刘子兴先中举人，乡亲们为他举办庆功宴。恰逢天气炎热，族人为了防晒便拉起大布遮日，把绳子系在了成子学家的屋顶，子学便质问子兴："大人当官后，就忘了同窗之谊。请你叫人把绳子解下来，立一根竹竿绑缚，可以吗？"子兴硬邦邦地说："等你也当了大官，我府前门环给你拴马。"子学一时语塞。

从此以后，子学发奋读书。几年后便中了进士，官至苑马寺卿。而刘子兴也升任广西布政使，但官职要比子学低。

成子学荣归故里。子兴恰好在家休假，听闻此信，心头

一震，想起了当年蔑视同窗好友的情景，很是惭愧，于是决定登门拜访，负荆请罪。

成子学设宴款待，酒过三巡，刘子兴说："卑职曾出言不逊，今大人荣归故里，当履行昔年诺言，门环给大人拴马。"子学哈哈大学："区区小事，何足挂齿。"他的宽宏大量感动了子兴。

不久，刘氏族人建家庙，刘子兴授意雕刻一只无面目石狮立在门前告诫自己，同时也警醒后人，戒骄戒躁。

知识链接

"知过必改"的出处

"知过必改"是一个我们经常使用的成语。那么这个成语最早出自哪儿呢？《论语·学而》记载："君子不重则不威，学则不固，主忠信，无友不如己者，过则勿惮改。"意思是说："君子举止不庄重就没有威严，学习才能免于固陋，行事以忠信为主，不要结交不如自己的人，犯了过错不要怕改正。"

另外，《左传·宣公二年》中也有记载。春秋时，晋灵公无道，滥杀无辜，臣下士季进谏。灵公当即表示："我知道我的过错了，我会改正的。"士季听到灵公这样表示，高兴地行了稽首礼，对灵公说："人非圣贤，孰能无过！过而能改，善莫大焉。"遗憾的是，晋灵公言而无信，残暴依旧，最终被臣下刺杀。

这就是成语"知过必改"最早的两处记载。

思考讨论

在成长的过程中，我们常常会犯一些大大小小的错误，犯错后应该怎么办呢？

wǎng tán bǐ duǎn mǐ shì jǐ cháng
罔谈彼短[1]，靡恃己长[2]。
xìn shǐ kě fù qì yù nán liáng
信使可覆[3]，器欲难量[4]。
mò bēi sī rǎn shī zàn gāo yáng
墨悲丝染[5]，诗赞羔羊[6]。

本节写为人处世需要注意的问题，不非议，不自满，讲诚信，心胸广。君子的品性纯洁当如素丝。

注释

[1] 罔：不可，不要。彼：他人，对方。 [2] 靡：不。恃：依仗，矜夸。 [3] 信：诚实。覆：验证。 [4] 器：器量。量：测量。 [5] 墨：战国时期思想家墨子，名翟(dí)。据说，墨子看见洁白的蚕丝经过漂染，改变了颜色，便悲泣道："染于苍则苍，染于黄则黄……不可不慎也。"从而说明环境对人的影响。 [6] 羔羊：《诗经·召南·羔羊》"羔羊之皮，素丝五纥"，通过咏羔羊毛色的洁白如一，来赞颂君子节俭正直，德如羔羊。

要旨

不要谈论别人的短处，也不要依仗自己的长处而不思进取。

诚实的话要能经受时间的考验，为人处世，心胸气量要大，大到让人难以估量才好。

墨子悲叹白丝被染上了杂色，《诗经》赞颂羔羊毛色始终洁白如一。

经典故事

和平义士墨翟

楚庄王曾是显赫的五霸之一，但到了楚惠王的时候，楚国国势渐衰。为了恢复霸权，楚惠王积极备战，准备攻打宋国。他重用了一位高明的工匠——鲁国人公输盘，即鲁班。鲁班打造了一件攻城的“秘密武器”——云梯。云梯被传得神乎其神，诸侯国得知消息后，惶惶不安，宋国更是觉得大祸临头。

墨翟

宋国人墨翟一向反对战争，他不能坐视父母之邦遭受灾祸，匆忙穿上草鞋，徒步上路了。

墨翟走了十天十夜，脚底都起泡出血了，可他心急如焚，几乎一路小跑，终于来到了楚国的都城郢，先拜见了鲁班。

“先生有何指教？”鲁班问。

“我愿意出千两黄金，请您帮忙杀个仇人。”墨翟说。

“这可不行，我怎能随便杀人呢？”鲁班否定道。

“可是我听说，您建造了云梯，准备进攻宋国，那要杀死多少人啊？”墨翟愤愤地质问道。

鲁班一时难以对答，沉默片刻，说：“我也觉得这是不义的行为，但是来不及了，我已和大王说定了。”

“那好，你带我去见楚王！”墨翟坚定地说。

见到楚惠王之后，墨翟用一个有钱人偷邻居破车烂袄的比喻，巧妙地表明了自己反对楚国进攻宋国的态度。但楚惠王自恃有云梯而不惧。于是，墨翟模拟了一场云梯攻城的防御战，勇敢地挫败了鲁班的战术。

墨翟不愧是一位真正的和平义士。

知识链接

墨 翟

墨翟是墨夷氏族的后裔，他除了学术思想外，还擅长工巧和制作，在军事技术和武艺方面远高于其他诸子。在法家崛起之前，墨家和儒家双雄并立，世称“孔墨显学”。我国历史上第一个设有文、理、军、工等科的综合性学院就是由墨翟创办的。可惜的是，从秦统一六国到清朝初年的近两千年里，墨学几乎处于停滞阶段。但是，墨家精神并未失传，而是在中国民间的社会底层世代传承着。汉代以后的侠士即是墨家“兼爱”精神的继承者。中国歌颂侠义精神的诗歌和侠士小说，其源头莫不与墨家思想有着密切的联系。

思考讨论

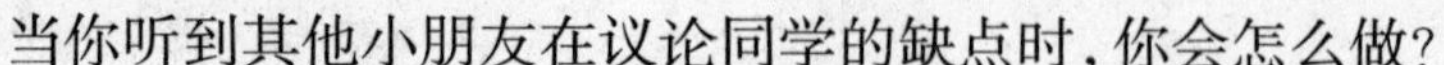

当你听到其他小朋友在议论同学的缺点时，你会怎么做？

jǐng xíng wéi xián，kè niàn zuò shèng。

景行维贤[1]，克念作圣[2]。

dé jiàn míng lì，xíng duān biǎo zhèng。

德建名立，形端表正[3]。

本节写君子要树立高尚的品行，达到言行一致。

注释

[1]景行：语出《诗经·小雅·车辖》中的“高山仰止，景行行止”。意思是德如高山人人敬仰，行如大道人人向往。[2]克：克制。念：思念、私欲。[3]形：指人的整体形态，包括身体和心灵两部分。表：仪表容貌。

要旨

要仰慕贤人的德行，克制私欲，努力效仿圣人。

养成了好的道德，就会有好的名声；就像形体端庄了仪表也随之端正了一样。

经典故事

许由洗耳

传说，上古时代的尧是一位贤明的部落联盟首领，他想找一位品行贤德的人来接替他的位置。

部落首领们一致推荐许由，说他品德高尚、才智过人，能够胜任部落联盟首领的位置。于是，尧召见了许由。通过交谈，他发现许由确实是一位贤德之人。之后，尧又多次登门拜访许由，逐渐肯定许由就是合适的人选。但是当尧把这个想法告诉他时，许由义正词严地拒绝了，还连夜逃往箕山，隐居起来，过着“日出而作，日落而息”的田园生活。

当时，尧以为许由谦虚，更加敬重他了，便又派人去请他担任九州长。不料许由听了这个消息，更加厌恶，立刻跑到山下的颍水边去，掬水洗耳。

许由的朋友巢父也隐居在这里，这时正巧牵着一条小牛来给它饮水，便问许由在做什么，许由就把这件事情告诉他，并且说：“我听了这样的话，怎能不赶快洗洗我清白的耳朵呢！”

许由淡泊名利的节操得到了后人的尊敬，被奉为隐士的鼻祖。

知识链接

隐　士

“隐士”就是隐居不仕之士。首先应该是“士”，即知识分子，否则就无所谓隐居。不仕，不在仕途，终生在乡村务农，或遁迹江湖经商，或居于岩穴砍柴。历代都有无数隐居的人，不可都称为隐士。

跟许由一样，南朝陶弘景也是历史上名气极大的隐士。他原是齐王朝诸王侍读，后隐居于句曲山华阳洞，自号“华阳隐居”。因曾助萧衍夺取齐王朝的帝位，建立梁王朝，参与改朝换代的机密，陶弘景被后人称为“山中宰相”。他是道教茅山派的开山宗师，又是一位水平极高的医生，还精通历算和地理等，其渊博的学识和传奇的经历在我国的历史名人中，是不多见的。

思考讨论

“景行”语出《诗经·小雅·车辖》中的哪一句？此句的意思是什么呢？

kōng gǔ chuán shēng，xū táng xí tīng。
空谷传声[1]，虚堂习听[2]。
huò yīn è jī，fú yuán shàn qìng。
祸因恶积[3]，福缘善庆[4]。
chǐ bì fēi bǎo，cùn yīn shì jìng。
尺璧非宝，寸阴是竞[5]。

本节写为恶得祸，为善得福，绝不是空穴来风；短暂光阴才真正值得把握。

注释

[1]空谷:空旷的山谷。 [2]虚堂:空荡的屋子。习听:重复的听到。指有回声。 [3]恶:恶事。 [4]缘:因为。庆:善行显著。 [5]寸阴:短暂的时间。竞:争取、珍惜。

要旨

空旷的山谷中，声音传得很远；宽敞的厅堂里，说话会有回声。

灾祸是由于恶行积累而成，幸福是由于善行而得到的奖赏。

一尺长的璧玉算不上宝贵，一寸短的光阴却值得去争取和珍惜。

经典故事

烽火戏诸侯

西周末年，周王为了及时调动各诸侯国的兵马，对付外敌进犯，在都城附近的骊山上修建了许多烽火台，并安放了数十架大鼓。一旦敌军侵犯，驻守烽火台的士兵就会燃起浓烟，敲起大鼓。临近的诸侯国看见或听见信号，就会火速赶来援救周王。

周幽王昏庸无能，迷恋美妾褒姒，不理朝政。但褒姒从来不笑，周幽王想尽一切办法，都不见效。

一天，褒姒随口说："臣妾喜欢听绸缎扯碎的声音。"

于是，幽王让几名宫女把整匹的绸缎扯成一缕一缕，堆得满地都是，可褒姒一点笑意也没有。

幽王便下了一道荒唐的旨令：有谁能令褒姒一笑，赏赐千金。

一个善于阿谀奉承的臣子想出一计："如果大王和王后到骊山游玩，夜里燃起烽火，诸侯国一定急忙赶到，他们慌张扑了空，王后一定会笑的。"

第二天夜里，周幽王便依此计，传令点燃烽火，浓烟弥漫，鼓声雷动。临近诸侯国听到报警后，大吃一惊，纷纷领兵点将，连夜奔至骊山。

周幽王和褒姒站在烽火台上看着诸侯和将领风尘仆仆地

烽火戏诸侯

赶来，果然哈哈大笑。诸侯、将领面面相觑（qù），才知不过是一场戏谑而已，面带愠（yùn）色，无奈只能转身撤兵。

不久，西戎果真进犯镐京，周幽王又下令点燃烽火。附近诸侯国看见警报后，都不理不睬。结果，镐京被攻破，周幽王成为刀下鬼，褒姒被掳掠到蛮荒的西戎地区。

知识链接

回声现象

当声音投射到距离声源有一段距离的大面积上时，声能的一部分被吸收，另一部分声能要反射回来，如果听者听到由声源直接发来的声音和由反射回来的声音的时间间隔超过十分之一秒，就能分辨出两个声音，这种反射回来的声音叫“回声”。如果声速已知，测得声音从发出到反射回来的时间间隔，就能计算出反射面到声源之间的距离。我国古人很早就发现了回声现象，并利用回声的原理建造了不少回音建筑，这些建筑中，最著名的有四处，分别为四川潼南石琴、北京天坛回音壁、山西普救寺莺莺塔和河南蛤蟆塔。

思考讨论

我们学到了很多关于珍惜时间的名言和成语，你在生活、学习中应该怎样珍惜时间呢？

zī fù shì jūn yuē yán yǔ jìng
资父事君[1]，曰严与敬[2]。
xiào dāng jié lì zhōng zé jìn mìng
孝当竭力[3]，忠则尽命[4]。

本节写侍奉父母应竭尽全力，效力国君应当不惜牺牲自己的生命，无论“资父”还是“事君”，都要恭恭敬敬，尽心尽力。

注释

[1]资：供养。事：侍奉。 [2]严：尊敬。敬：恭敬、认真。 [3]竭力：竭尽全力。 [4]尽命：奉献自己的生命。

要旨

奉养父母，侍养国君，要做到恭敬、谨慎。

孝顺父母，要竭尽全力；忠于君主，要不惜献出生命。

经典故事

汪踦卫国

公叔禺人是春秋时期鲁昭公的公子，颇有爱国之心。汪踦是他邻家的孩子，才十二三岁。平时二人称兄道弟，形影不离。

鲁哀公十一年，齐国入侵鲁国。

公叔禺人十分着急，他磨砺宝剑，准备投身战场。汪踦早把家里的砍柴刀拿在手里了。

“士兵们真令人敬佩啊。平时替国家负担沉重的赋税，战时又为祖国的安危而不惜舍命。作为君子不能为国家出谋划策，作为士人不能为国家献身，这怎么能行呢？”公叔禺人十分感慨。汪踦也愤愤不平。

二人挥舞着战刀冲进沙场。汪踦左冲右突，没有一点惧色，终因寡不敌众，被敌人团团围困，死在乱刀之下。

鲁国士兵听说了汪踦的事迹，大受鼓舞，终于打败了齐军。

在公葬牺牲的将士时，有人说：“汪踦只是一个小孩子，随便挖个坑埋了吧。”春秋时期葬礼是有着严格的礼仪制度，成人和小孩的葬礼差别很大。许多人反对说：“汪踦虽然是小孩子，但他为国献身，应该享受隆重的成人葬礼。”大家一时不知道该怎么办才好，于是就向大儒孔子请教。

“能拿起武器、不顾性命保卫国家的孩子，完全有资格享用成人礼。”就连一向提倡“以礼治国”的孔子也赞扬汪踦的爱国行为。于是鲁国人就用成人的丧礼，为汪踦举行公葬，以表彰他的英勇事迹。

知识链接

忠与孝

“夫孝，始于事亲，中于事君，终于立身。”忠与孝是中华民族的优良传统，是一个人最基本的品质。孝是基础，是子女

对长辈的热爱、尊敬之心，是服侍长辈的行动。孝是忠的前提，只有爱父母，爱亲人，才能用心造福社会，才能热爱国家，忠于国家，忠于人民。

两千多年前，“不独亲其亲，不独子其子”的观念，勾勒了一个大同的社会。这样，“孝”变成了一种真正的仁义与忠诚。

思考讨论

历史上有很多关于“孝”的名言，和你的伙伴们一起搜集整理一下这类名言，然后背给爸爸妈妈听。

lín shēn lǚ bó， sù xīng wēn qìng

临深履薄，夙兴温清[1]。

sì lán sī xīn， rú sōng zhī shèng

似兰斯馨[2]，如松之盛。

本节写孝敬父母要细致入微，美德影响深远。

注释

[1]夙兴：“夙兴夜寐”的省略语，即早起晚睡。夙，早。温清：“冬温夏清”的省略语。温，指温被使暖和。清，凉，指扇席使凉快。 [2]斯：这样。馨：香气。

要旨

侍奉君主，要像靠近深渊和走在很薄的冰上一样小心谨慎。侍奉父母，要早起晚睡，让他们在冬天感到温暖，在夏天感到凉爽。

如果能做到这些，德行就如同兰草一样清香，如松柏一样茂盛。

经典故事

君子之花

在中国人心中，兰花象征着高洁、清雅、忠贞的人格，被誉为“花之君子”。自古以来，有不少文人骚客与兰花结下不解之缘，其中最有影响的是孔子。

春秋时期，孔子周游列国，但得不到君王的重用。有一次，他从卫国返回鲁国的途中，经过一个山谷的时候，看到草丛中长满了或黄或白的兰花，不禁吟诵道：“兰当为王者香，今乃独茂，与众草为伍，譬犹贤者不逢时，与鄙夫为伦。”以此比喻自己就像山谷中的兰花一样雅淡忠贞，清香袭人，但只能在这偏僻寂静的深山中独自开放，无人欣赏。

有一次，孔子和他的弟子被困于陈、蔡长达七天之久。子路心生怨气，不理解老师一辈子到处奔波，却穷困不得志。孔子回答他说：“芝兰生于深山，不以无人而不芳；君子修道立德，不为穷困而改节。”大意是说，兰花生长在冷清偏远的山谷中，不因缺少他人的观赏而停止开放；君子修养高尚的品性，不会因困苦的境遇而改变。孔子以此来表明自己坚持洁身自好，不随波逐流的处世态度。

孔子及弟子天下游

孔子在教育学生时也说，“与善人居，如入芝兰之室，久而不闻其香，即与之化矣”。子路却相反，“与不善人居，如入鲍鱼之肆，久而不闻其臭，亦与之化矣”。孔子以此告诫人们，环境对人有着巨大的影响。

“兰花情结”已经渗透到中国人的骨髓之中。

知识链接

兰花与松

兰花是中国的传统名花，它的香气幽香清远，插一枝在房间里，顿时满屋飘香，故有“国香”的美称。兰花看起来很朴素，颜色也不鲜艳，给人以高洁、清雅的优美形象，因此被称为“花中君子”。

松树的生命力顽强，可以在寒冷和干旱的地方生长，所以松树往往象征坚贞。松枝傲骨峥嵘，且四季常青，历严冬而不衰。《论语》赞曰：“岁寒，然后知松柏之后凋也。”松与竹、梅一起，素有“岁寒三友”之称。文艺作品中，常以松柏象征坚贞不屈的英雄气概。此外，松也象征万古长青、长寿。

思考讨论

被称为“花之君子”的是什么花？“岁寒三友”指的是什么呢？

chuān liú bù xī，yuān chéng qǔ yìng
川流不息，渊澄取映[1]**。**
róng zhǐ ruò sī，yán cí ān dìng
容止若思[2]**，言辞安定**[3]**。**

本节写为人处世要从容镇定。

注释

[1] 澄：清澈。取映：可以用来映照。　[2] 容：容貌。止：举止。　[3] 安定：沉稳。

要旨

高尚的品德如大河奔流不息，延及子孙、影响世人，如碧潭清澄照人。

仪容举止要庄重，看上去若有所思；言语措辞要稳重，显得从容沉静。

经典故事

陈元方的故事

陈元方，名纪，字元方，东汉颍川许昌（今河南许昌）人。

陈元方小时候聪明伶俐，思维敏捷。他十一岁那年，去拜见一位被人称为“袁公”的大官。

袁公拉着他的小手问：“你父亲在太丘做父母官，政绩显著，名声很好，他做了哪些深得民心的好事呢？”

陈元方应声答道：“不瞒袁大人，我父亲治理太丘的主要方法是：对依仗权势作威作福的人，进行严肃而诚恳的教育；对无权无势、善良受欺的人，给予无微不至的关怀。务必求得社会安定，人民安居乐业。久而久之，地方百姓就对我的父亲更加敬重，他也就声名鹊起了。”

袁公听了，连连称好，又问：“我曾经在邺县做过县令，正是采用了这些治理方法啊。”这时，他想进一步测验陈元方的聪明才智，便心生一计，说：“这样的话，你可知道，究竟是你的父亲向我学习，还是我受教于你的父亲？”

元方很聪慧，懂得察言观色，便微笑着说：“周公和孔子都是古代著名的政治家，他们一前一后，生在不同的时代；一西一东，出自不同的地区。可是他们所做的事是那么一致，为百姓做好事，行仁政，所以受到了民众的爱戴和拥护。这样看来，周公的治理方法不是从孔子那里学来的，孔子亦如此。”

袁公听了，不禁连声叫好：“好！好！措辞稳重，机智得体。以后一定会成为治国理政的贤才啊！”

知识链接

烛之武退秦师

晋、秦两国联合围攻郑国。郑伯恳请烛之武游说秦王。

夜里，烛之武偷偷面见秦王说：“秦、晋两国围攻郑国，如果灭掉郑国对您有好处，那还怎敢拿这件事情来麻烦您。越过晋国把远方的郑国作为秦国的东部边境，您何必要灭掉郑国而增加邻邦的土地呢？假如让郑国作为您秦国东道上的主人，秦国使者往来，郑国可以随时供给他们所缺乏的东西。况且，您曾经对晋文公有恩惠，他也曾答应把焦、瑕二邑割让给您。然而，他早上渡河归晋，晚上就筑城拒秦。现在晋国已把郑国当做东部的疆界，又想扩张西部的疆界。如果不侵损秦国，晋国从哪里取得它所企求的土地呢？”秦伯就与郑国签订了盟约，并派大将守卫郑国，率军回国了。

失去了同盟，晋军也撤离了郑国。

思考讨论

作为学生的我们，平时与人交往时应该怎么做呢？

dǔ chū chéng měi shèn zhōng yí lìng
笃 初 诚 美[1]，慎 终 宜 令[2]。
róng yè suǒ jī jí shèn wú jìng
荣 业 所 基[3]，籍 甚 无 竟[4]。

本节写做事要善始善终，这是荣耀和事业的根基。

注释

[1]笃：厚实，重视。诚：的确。 [2]令：美好。 [3]荣：荣耀。基：根本。 [4]籍甚：盛大，多。竟：穷尽。

要旨

无论修身、求学，重视开头固然很好；认真去做，有好的结果更重要。

这是事业显耀的基础，有了这个基础，事业发展就兴盛无止境。

经典故事

良相子产

春秋时期，大国争霸，弱肉强食。在一片混乱之中，小小的郑国却偏安一隅，四十年来过着和平安宁的日子。这归功于一个人——郑国国相子产。

公元前 543 年，子产成为郑国的国相。他当政以后，广开言路，允许百姓议政，为此还在各地设立乡校，即乡间的公共场所，既是学校，也是乡人聚会议事的场所。

有一天，大夫然明怒气冲冲地对子产说："好多人整天游手好闲，聚在乡校里对您说三道四，我实在看不下去了，干脆把乡校取缔了吧。"

"百姓劳累一天了，在乡校聚一聚，议论施政措施的好坏。这有什么不可呢？凡是百姓喜欢的，我们就推行；凡是百姓反对的，我们就改正。百姓就是我们的镜子啊。如果用高压手段不让百姓议政，就像堵住江河一样，总有一天会决堤，那时候谁也挽救不了。我们不如认真听取大家的议论，把它当做治国的良药。"子产耐心地解释道。

然明很受震动，激动地说："您心胸宽广，一定能成大事，我们郑国有望了。"

果然，在子产的治理下，郑国民风淳朴，社会安定，出现了"夜不闭户，路不拾遗"的太平景象。子产去世后，百姓非常伤心，老人像孩子一样恸哭："子产死了，我们还能依靠谁呢？"

知识链接

"籍"与"藉"

"籍"的本义指名册、户口册；登记在同一名册上的人，必然有相同的隶属关系，因而有户籍、国籍、学籍之类的说法。"籍"又引申指装订成册的文字或图画作品，成为"书"的同义字，如"史籍"就是史书，"书籍"两字常并列成词。

“藉”字有两个读音。一个读jí,表示践踏。常见“狼藉”一词。传说狼群常在窝里垫草而睡，起来时便用脚乱踩乱踏一阵，因以狼藉形容纵横杂乱的样子，如“杯盘狼藉”；又引申为破败不可收拾的形象，如声名狼藉。

“藉”的另一个读音是jiè，本义是放置祭品礼品的衬垫物，也泛指用草编成的垫子。故“藉”又有依托义，如慰藉。

思考讨论

你有多少事是从头至尾地做完了的？有没有只做了一半就不想做，而让父母帮你收拾残局的呢？

xué yōu dēng shì shè zhí cóng zhèng
学优登仕[1]，**摄职从政**[2]。
cún yǐ gān táng qù ér yì yǒng
存以甘棠[3]，**去而益咏**[4]。

本节写贤人读书出仕，心系民众，流芳百世。

注释

[1]仕:做官。 [2]摄职:代理官职。 [3]存:生存。甘棠：树名，即棠梨。据说，西周时召伯巡视南方，体恤百姓疾苦，曾在一棵高大的甘棠树下处理政务。后人思其德，爱其树，不忍砍伐。后以“甘棠”称颂官吏的政绩。

[4]去：离开人世。益：更加。

要旨

书读得好，就可以做官，担任一定职务，参与治理国事。

召公活着时曾在甘棠树下理政，他去世以后，百姓因思念召公而爱护那棵甘棠树，对召公更加怀念，世代歌颂他。

经典故事

甘棠树

召公

周武王建立了周朝，但没过多久就生病去世了。他死后，年幼的周成王继承了王位，周召伯与周公旦共同承担起辅佐周成王处理国事的重任。

周召伯主张德政，他经常深入民间了解百姓疾苦。相传有一次，周召伯奉命去南方巡视，一路颠簸劳累，加之平日里政务繁忙，体力实在支撑不下去了，于是便靠在路边的一棵高大的甘棠树下稍作休息。即便如此辛苦，他还是念念不忘君王的嘱托，一边休息一边处理乡间百姓的纠纷。对产生纠纷的民众，召伯晓之以理，动之以情，百姓们也都为召伯的公正和仁德所折服。随行的侍卫以及路过的百姓都为周召伯鞠躬尽瘁的精神感动和赞叹。

周召伯去世以后，人们为了纪念他的功德，一直都不忍心砍掉那棵甘棠树，相反愈加爱护，以此来纪念他。人们还创作诗歌歌颂他：“蔽芾甘棠，勿剪勿伐，召伯所茇。蔽芾甘棠,勿剪勿败,召伯所憩。蔽芾甘棠,勿剪勿拜,召伯所说。”这充分体现了老百姓对召公的爱戴之情。

知识链接

甘棠树

甘棠，又称棠梨，是一种野梨树，在山坡或者农田沟渠旁常可见到，春季开白色小碎花，初秋挂果，果实非常酸涩。秋天随着棠梨成熟后，棠梨树的叶子会慢慢变成红色，宋诗里就有“棠梨叶落胭脂色，荞麦花开白雪香”的句子。

思考讨论

那些真正心系百姓的官员会被人民牢记，就像周人怀念周召伯的美德，留下甘棠树不忍砍伐。你还知道哪些心系百姓的官员的故事呢？与同学们一起分享吧。

yuè shū guì jiàn lǐ bié zūn bēi
乐殊贵贱[1]，礼别尊卑[2]。
shàng hé xià mù fū chàng fù suí
上和下睦[3]，夫唱妇随[4]。

本节写人与人之间交往要遵循一定的礼仪制度。

注释

[1]乐:音乐。殊:不同,区别。　[2]礼:礼仪制度。别:分别，区别。　[3]上：尊贵者。和：和谐。下：卑贱者。睦：和睦。　[4]唱：即“倡”，倡导。

要旨

选择音乐根据人的身份贵贱而有所不同；采用礼节根据人的地位高低而有所区别。

长辈和晚辈要和睦相处，夫妇要一唱一随，协调和谐。

经典故事

陌上花开

五代十国的时候，吴越王钱镠是一位比较有作为的君主。传说那时钱塘江的潮水浪高水猛，两岸的堤坝经常被冲塌。钱镠打听后了解到原来是江里的潮神作怪。于是，他召集五百多名弓箭手在潮神生日的八月十八日那天一起向潮水射箭，最终把潮神赶跑，海堤平安无事。这就是“钱王射潮”的典故。

然而,人们最津津乐道的是他和妻子恩爱的感情。据说，钱夫人戴氏每年寒食节要到临安省亲。有一年暮春，陌上的花都已开遍，钱镠望不见夫人返家的身影，甚是想念，便写了一封短信：“陌上花开，可缓缓归矣。”

钱镠本是军阀出身，没什么文化，但此信却写得平实温馨，情愫尤重，欲催归而请缓，一副恳求商量的语气。这样的话谁听了不动情？

据清代王士禛《香祖笔记》记载，戴氏收到来信后，感动得泪流满面，说："王爷年迈，捎信让我回去，怎敢不听？"于是当日便启程，很快返回杭州，夫妻团圆。

此事传开去，一时成为佳话。王士禛说："'陌上花开，可缓缓归矣'。二语艳称千古。"后来还被里人编成山歌，名《陌上花》，在民间广为传唱。

知识链接

中国古代的"礼"

中国是礼仪之邦，古代文化是礼乐文化。著名史学大师钱穆先生认为"礼"是中国传统文化的核心，这是中国文化的特点，以及中西文化区别之所在。

中国儒家认为人的活动应该符合"德"，体现仁、义、文、行、忠、信的要求，为此，根据"德"的行为要求，制定一套规范，称之为"礼"。这成为中国古代一切社会活动的准则。如果我们了解中国各地的风俗，就会发现各地的风俗差异很大，即使同在一个浙江省，温州的风俗与杭州的风俗就很不一样，国家的这一端与那一端的差别就更大了。然而在古代，无论在哪儿，"礼"都是一样的。"礼"是一个政府的准则，统辖着一切内务和外交、政府与人民的关系，以及征兵、签订和约和继承权位等。"礼"也是一个家庭奉行的准则，如婚礼应该如何举行，丧服应该如何穿着，应该如何服侍父母，如何称呼尊长，等等。

思考讨论

礼乐文化是中国古典文化的核心内容之一。“礼”、“乐”是六艺的两项技能，你知道“六艺”的另四项技能吗？

wài shòu fù xùn rù fèng mǔ yí
外受傅训[1]，入奉母仪[2]。
zhū gū bó shū yóu zǐ bǐ ní
诸姑伯叔[3]，犹子比儿[4]。

本节写对待长辈要保持尊敬的态度。

注释

[1]外：外面，指与自己血缘关系之外的人与社会。傅训：老师、师傅的教诲。 [2]入：家庭之内。奉：遵循。母仪：指家庭的礼仪、规范。 [3]诸：各位，众多。 [4]犹子：侄子。

要旨

在外要听从师长的教诲，在家要遵守父母定下的规范。

对待姑姑、伯伯、叔叔等长辈，要像是他们的亲生子女一样。

袁枚祭妹

1767年冬日的一天，日光惨白。南京附近的羊山孤零零地矗立在寒风中。一位老人正神情黯然地坐在山间一块向阳的地方，而他的面前是一座长满枯草的坟茔。这位老人就是清代文学家袁枚，坟里面埋葬的是他的妹妹袁素文。

“妹妹啊，你都走了八年了，哥哥来陪你说说话。”袁枚抹了抹眼泪，轻轻地理着坟上的枯草，往事一幕一幕地从他眼前闪过……

小时候，每到秋天，袁枚就领着妹妹到处捉蟋蟀。有一次，天气非常寒冷，素文又闹着找蟋蟀，袁枚只好带她去。他用小树枝拨开一看，蟋蟀都僵死了。素文的眼泪簌簌地落下来，二人便学着大人的样子给小蟋蟀们举行了“葬礼”。

素文非常聪明，常常陪着袁枚背书，连教书先生都大加赞赏。

袁枚二十四岁时，考中了进士。后来，在南京置了房产。袁家从浙江举家搬迁，遭受离婚打击的素文也来了。她照料父母的起居，代家人写信读信，家务也处理得井井有条。尤其是袁枚生病期间，妹妹更是寸步不离，给他讲笑话、说故事来解闷。

……

“可是，你死的时候，我却没能见你。”袁枚自言自语，“你死我埋，我死了，谁来埋我呢？”一想到此，袁枚不禁失声痛哭。

斜阳消逝了最后一缕余晖，风更大了，枯草也发出呜呜的哽咽声，烧过的纸钱漫天飘散。

知识链接

伯仲叔季

“伯”,本义是长子,引申为排行第一,指兄弟中最年长的。《豆棚闲话》第七则：“伯曰曹丕，字子桓；仲曰曹彰，字子庄;季曰曹植，字子建。”曹丕、曹彰、曹植都是曹操的儿子，曹丕是老大，所以称“伯”。“伯姊”就是大姐。

“仲”，本义是“中”。《诗经·大雅·烝民》:“保兹天子，生仲山甫。”“仲山甫”是鲁献公的第二个儿子。

“叔”，古代兄弟排行，行三为叔。

“季”，本义是“少子”，即最小的儿子，引申为表示排行第四或最后的、最小的。“季妹”就是最小的妹妹。

思考讨论

小朋友，你思考过尊敬老师、虚心请教与不盲目崇拜、敢于质疑之间的区别吗？和伙伴们讨论一下吧。

kǒng huái xiōng dì[1]，tóng qì lián zhī[2]。
孔怀兄弟[1]，同气连枝[2]。

jiāo yǒu tóu fèn[3]，qiē mó zhēn guī[4]。
交友投分[3]，切磋箴规[4]。

本节写兄弟姐妹要互相关爱，朋友之间要互相交流，彼此鼓励。

注释

[1] 孔：非常。怀：关怀。 [2] 同气：同样的气脉，血气。 [3] 分:情分。 [4] 切磨:切磋琢磨,互相交流。箴：劝告。规：规劝。

要旨

兄弟之间要相亲相爱,因为同受父母血气,犹如树枝相连。

结交朋友要意气相投，在学习上共同探讨研究，在品行上互相劝勉。

经典故事

快乐的鱼儿

战国时期，哲学家庄子和惠施是一对非常好的朋友。他们经常在一起切磋交流，有时候争得面红耳赤。

一个风和日丽的下午,庄子与惠施在梧桐树旁散步聊天。

“我午睡的时候，做了一个梦，别提多美了。”庄子一脸惬意。

“捡了个大元宝？”惠施不屑一顾地哼了一声。

“我呀，梦见自己变成了一只美丽的大蝴蝶，飞呀飞。可是醒来后，我还是我。”

“你以为你真的是蝴蝶？白日做梦！”惠施冷冷地说。

“你说对了。我真的不知道是我做梦变成了蝴蝶，还是蝴蝶变成了我？”

两人走在横跨濠水的木桥上。桥下的河水缓缓地流淌着，水里有成群的鱼儿。因为水太清了，鱼儿都好像在空中游动，没有什么依靠似的。鱼儿先是呆呆地一动不动，忽然间，又飞快地向远处游去，往来十分迅速，好像在同游人互相逗乐。

“多么悠闲自在，这就是鱼的快乐啊。”庄子攀着栏杆，几乎看呆了。

“你不是鱼，怎么知道鱼的快乐呢？”惠施说。

“你不是我，怎么知道我不晓得鱼的快乐呢？”庄子反问道。

“我不是你，当然不知道你的感觉。你不是鱼，肯定也不知道鱼的感觉。”惠施也不甘示弱。这就是中国哲学史上有名的“濠梁之辩”。

惠施病逝后，庄子失去了好搭档，他长叹一声：“再也没有人能像惠施那样跟我辩论了。”

知识链接

连　枝

连枝，又可称“同气连枝”，出自《千字文》“孔怀兄弟，同气连枝”一句，用来比喻同胞的兄弟姐妹。法昭禅师写了一首描述兄弟情谊的诗：

同气连枝各自荣，些些言语莫伤情，
一回相见一回老，能得几时为弟兄。
弟兄同居忍便安，莫因毫末起争端，
眼前生子又兄弟，留与儿孙作样看。

兄弟姐妹就像是同一棵树延伸出来的树枝一样，只有相亲相爱，互相体谅、忍让，才能共同谋得发展。

思考讨论

小朋友，你知道“连枝”的比喻义是什么吗？你现在有知心朋友了吗？你与朋友之间能够做到“切磨箴规”吗？

rén cí yǐn cè zào cì fú lí
仁慈隐恻[1]，造次弗离[2]。
jié yì lián tuì diān pèi fěi kuī
节义廉退，颠沛匪亏[3]。

本节写无论何时何地，仁爱、正义、气节这些高尚节操都不能抛弃。

注释

[1]隐恻:即恻隐,对受苦难的人表示同情。 [2]造次:匆忙,轻易。弗:不。离:抛弃。 [3]颠沛:困顿,受挫折。匪亏:不可缺失。

要旨

仁义、慈爱、对人的同情心，即使在最仓促、危急的时刻也不能抛弃。

气节、正义、廉洁、谦让这些美德，即使在最穷困潦倒的时候也不可缺失。

经典故事

荀巨伯不弃病友

东汉时期有个叫荀巨伯的人，对朋友亲人相当友善，他以仁义而远近闻名。有一天，他突然得知一位朋友得了重病，内心十分焦急，就千里迢迢赶过去探望他的朋友。不巧，当地正遭胡人入侵，百姓奔走逃窜。

荀巨伯好不容易来到朋友的家，看见朋友虚弱地躺在病床上，内心十分心痛。朋友看见荀巨伯突然出现在家中，十分吃惊，哽咽着劝荀巨伯马上离开，胡人就要攻进城来了，荀巨伯坚决不肯离开。胡人的军队突然闯进，荀巨伯连忙把朋友挡在身后，诚恳地说："这是我的朋友，他生病了，我不远千里来探望他，希望将军网开一面，放我朋友一条生路，我愿意用我的性命抵换我朋友的性命。”

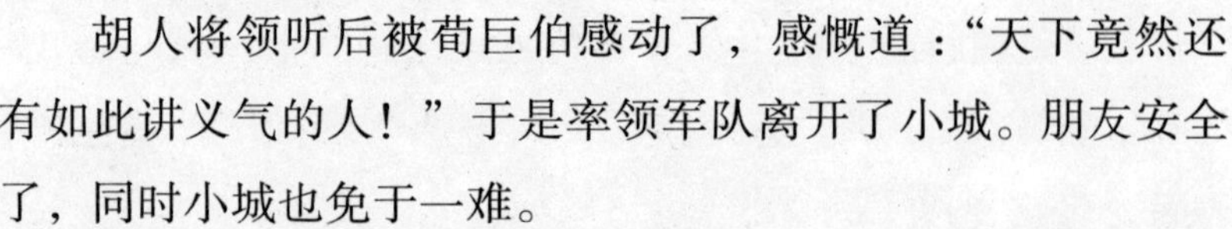

胡人将领听后被荀巨伯感动了，感慨道：“天下竟然还有如此讲义气的人！”于是率领军队离开了小城。朋友安全了，同时小城也免于一难。

荀巨伯的故事至今仍被人们津津乐道，他在生命安危的紧要关头仍然不忘记仁义，不抛弃朋友的行为，令人敬佩。

知识链接

忠孝节义

中华传统美德——忠、孝、节、义。忠是指君臣关系，孔子曰：“君使臣以礼，臣事君以忠。”孝的一般表现为孝顺、孝敬等，指回报父母养育之恩，对父母尊重尊敬。孝被称为“百德之首，百善之先”。《孝经》中，子曰：“夫孝者，天之经也，地之义也，人之本也。”节，是指节操节气。繁体的“節”，形从竹，声从即。“竹”，以其中空、有节、挺拔，宁折不屈、不畏风寒的特性为国人所称道，成为中国文人所推崇的谦虚、有气节、刚直不阿、高风亮节等品质的象征，被喻为四君子之一。义指的是道德仁义，是儒家所推崇的礼义道德。

思考讨论

听了荀巨伯的故事，你有什么感受？快告诉爸爸妈妈吧。

xìng jìng qíng yì，xīn dòng shén pí。
性静情逸[1]，心动神疲。
shǒu zhēn zhì mǎn，zhú wù yì yí。
守真志满[2]，逐物意移[3]。
jiān chí yǎ cāo，hǎo jué zì mí。
坚持雅操，好爵自縻[4]。

本节写修身养性应淡泊宁静，不应过分追求身外之物，君子要保持自身美德。

注释

[1]逸:安逸闲适。　[2]守真:保持本来面目。志满:志趣得到满足。　[3]逐物:追求身外之物。　[4]好爵:高官厚禄。縻：系住、牵住。

要旨

保持品性沉静淡泊，心绪就安逸闲适；内心浮躁好动，精神就疲惫困倦。

保持纯真的天性，就会感到满足；追求物欲享受，心志就会改变。

坚守高尚的德行，好的职位自然会为你所有。

经典故事

悬鱼太守

东汉时期，有一位名叫羊续的清官，他非常喜欢吃鱼。

他在担任南阳太守其间，有一天，手下的一个官员送了一条白河鲤鱼，这是当地有名的特产，以鲜美闻名，而且价格不菲，平常老百姓很难吃上一条这样的鱼。虽然这条鱼这么鲜美，但是爱吃鱼的羊续却很坚决地拒绝了，再三要求对方把鱼拿回去。可是，那个下属固执地把鱼留了下来。羊续无可奈何，让下人把鱼挂在屋外的柱子上，就这样一直挂着，风吹日晒，一条鲜美的肥鱼已经变成了鱼干。羊续还在门口贴上“太守羊续不再吃鱼”八个大字，引得百姓议论纷纷。

后来，这位官员又送来一条更大更肥、味道更加鲜美的鱼。这一次羊续没有当面强硬地拒绝他，而是领着这位官员来到后院，让他看看挂在柱子上的鱼干，以此表明自己的态度。

这件事很快就在民间传开了，人们都称他为“悬鱼太守”。后来也常常用“悬鱼太守”来比喻为官清廉、不受贿赂的官员。

知识链接

关于“静”

古人认为“静”是一种人生境界,人一旦进入了“静”界，便多了一些祥和，少了一些纷争；多了一些幸福，少了一些灾祸。心静，是一种境界，一种智慧，一种思考。古人云：养心莫如静心，静心莫如读书。又如“静以修身，俭以养德，非淡泊无以明志，非宁静无以致远”，都是对“静”的阐发。

老子的哲学是以静为根基的，正如老子所说："致虚极，守静笃。万物并作，吾以观复。夫物芸芸，各复归其根。归根曰静，静曰复命。"

思考讨论

请与伙伴们讨论一下，做好一件事，除了要有认真仔细的态度外，还需要哪些品质和素养呢？

第三章　帝都河山

dū yì huá xià dōng xī èr jīng
都邑华夏[1]，东西二京。
bèi máng miàn luò fú wèi jù jīng
背邙面洛[2]，浮渭据泾[3]。

本节写帝王京都之大。

注释

[1] 都邑：王都。华夏：汉族或中国的古称。　[2] 邙：北邙山。洛：洛水。　[3] 渭、泾：水名。浮：泛浮，漂浮。据：依靠。

要旨

古代的都城华美壮观，有东京洛阳和西京长安。

东京洛阳背靠邶山，南临洛水；西京长安左横渭水，右据泾河。

经典故事

新亭对泣

西晋国力衰微，西北匈奴、鲜卑等纷纷入侵。西晋覆灭之后，司马睿在建康（今南京）建立了东晋王朝，中原士族相随南下，集于建康。

这些衣着锦绣的贵族身处南方，远离战乱，相对比较安定。他们经常去一个叫做新亭的地方聚会。新亭四周佳木葱茏，绿草如茵。众人在此地饮酒作诗，不亦乐乎。可是有一位叫周凯的官吏在席间表情黯然，闷闷不乐。众人问他何故，他长叹一声说："四面的景色是如此美好，可惜这里不是洛阳呀！"说罢，眼眶就红了。

大家一听，马上就沉默了，停下酒杯，相视对望，皆已泪流满面。

"现在不是哭泣的时候！"坐在人群中的丞相王导突然站起来，激动地说道，"我们应当努力效忠朝廷，收复失地！"

后来，王导联络当时的有志大臣们，齐心协力抵御外敌入侵。

知识链接

泾渭分明

渭河是黄河最大的支流，泾河又是渭河最大的支流。泾河和渭河在古城西安北郊交汇时，由于含沙量不同，呈现出一清一浊、清浊互不相融的奇特景观，清浊的界限非常明显，因此成为关中八景之一，名闻天下。“泾渭分明”这一成语即源出于此。说的是在泾水、渭水相汇合处，清浊分明，分界清楚而不混，用以比喻界限清楚。

思考讨论

小朋友，你知道“泾渭分明”的来历吗？我国古代将都城设置在洛阳、西安的朝代分别有哪些呢？

gōng diàn pán yù lóu guàn fēi jīng
宫殿盘郁[1]，楼观飞惊[2]。

tú xiě qín shòu huà cǎi xiān líng
图写禽兽[3]，画彩仙灵。

本节写皇家宫殿园林之壮丽。

注释

[1]郁：彩饰华丽，也指繁多。　[2]观：楼台。[3]图写：绘画。

要旨

宫殿回环曲折，错落重叠；楼阁高耸入云天，让人看了心惊胆战。

宫殿里面画着飞禽走兽，还有五彩的天仙和神灵。

经典故事

宇文恺建城

蜚声中外的唐代都城长安，以及东都洛阳，实际上都是隋代建造的，创建这两座历史名城的第一功臣是杰出的建筑学家宇文恺。宇文恺，字安乐，鲜卑人，出生于武将世家，父兄都是以弓马显名，可是他擅长工艺，尤善建筑。他参与了隋朝很多有名的建筑工程。

宇文恺最负盛名的建筑成果莫过于大兴城与洛阳城了。唐以前，长安城名为大兴城。

宇文恺修建大兴城是以原有的古城为基础，但并非改建、扩建，而是在短时间内按周密规划兴建崭新城市。全城由宫城、皇城和郭城组成，先建宫城，后建皇城，最后建郭城。大兴城从营建到竣工前后仅用了九个月的时间，这是世界都市建设史上的一大奇迹，显示了宇文恺的卓越设计才能和非凡建筑技能。

宇文恺在主持建造了大兴城之后，又主持规划建设了另一座大型城市——东都洛阳城。洛阳北依祁山，南对龙门，地理位置优越。建筑工程前后仅用了十个月时间。由于洛阳水陆交通方便，成为又一个社会政治、经济、文化的中心。东都的规模比大兴城略小，规划、布局与大兴城相似。

知识链接

未央宫

未央宫是我国西汉时期的皇家宫殿，位于长安城的西南部，因为在长乐宫的西面，汉代的时候又称被为西宫。

汉代的未央宫是群臣见天子的地方，总体的布局为长方形，四周都有围墙。整个宫殿的面积大约五平方千米，约占全城总面积的七分之一，比长乐宫稍小一点，建筑却更加壮丽宏伟。

未央宫建成以后，汉代的皇帝都居住在这里，因此它的名气远远超过其他宫殿，在后人的诗词中，未央宫已经成为汉宫的代名词。

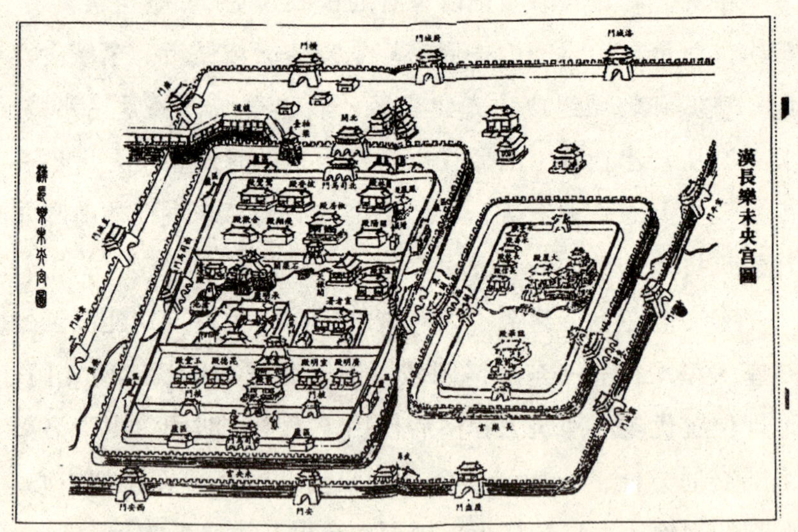

未央宫

思考讨论

除了未央宫以外，你还知道我国历史上哪些远近闻名的宫殿？它们分别在什么地方呢？

bǐng shè páng qǐ　jiǎ zhàng duì yíng
丙舍傍启[1]，甲帐对楹[2]。
sì yán shè xí　gǔ sè chuī shēng
肆筵设席[3]，鼓瑟吹笙[4]。
shēng jiē nà bì　biàn zhuǎn yí xīng
升阶纳陛[5]，弁转疑星[6]。

本节写皇家宫室宴乐之美。

注释

[1]丙舍：偏殿。傍：通“旁”，旁边。　[2]甲帐：华贵的帐幕。楹：柱子。　[3]肆：陈列。　[4]鼓：弹奏。瑟：泛指弦乐器。笙：泛指管乐器。　[5]升：登。阶：台阶。纳：进入。陛：宫殿的台阶。　[6]弁：官帽，上面缀有珠玉。

要旨

正殿两边的配殿从侧面开启，豪华的帐幕对着高高的楹柱。

宫殿里大摆筵席，乐人弹琴吹笙，一片歌舞升平的景象。

文武百官拾阶而上，登堂入殿，他们戴着的官帽上玉石转动，闪闪发亮，如同满天星斗。

经典故事

伯牙子期

春秋时，楚国有个叫俞伯牙的人，他精通音律，琴艺高超。他将自己的音乐与大自然结合起来，在琴声中融入波涛的汹涌，融入海鸟的鸣叫，把大自然的美妙融进了琴声，可惜的是无人能听懂他的音乐，他感到十分的孤独和寂寞，苦恼无比。

有一天，伯牙乘船游览，面对清风明月，他思绪万千，弹起琴来，琴声悠扬。忽然他感觉到有人在听他弹琴，只见一樵夫站在岸边，当他弹起赞美高山的曲调，樵夫道："雄伟而庄重，好像高耸入云的泰山一样！"当他弹奏表现奔腾澎湃的波涛时，樵夫又说："宽广浩荡，好像看见滚滚的流水、无边的大海一般！"伯牙不由得一阵惊喜：终于找到能够听懂自己琴声的人了。

伯牙与子期约定，待周游完毕要前去拜访。一日，伯牙如约而至，但是子期已经不幸因病去世了。伯牙听闻悲痛欲绝，奔到子期墓前为他弹奏一首充满怀念和悲伤的曲子，然后站立起来，将自己珍贵的琴砸碎于子期的墓前。从此，伯牙与琴绝缘，再也没有弹过琴。

伯牙和子期的故事千古流传，高山流水的美妙乐曲至今还萦绕在人们的心底耳边，而那种知音难觅、知己难寻的故事更是让人难忘。

知识链接

陛 下

我国古代建筑，无论是人们住的房子还是观赏用的楼阁，都建筑在一个高出地面的台基之上，所以堂前有阶，进入堂屋必须“升阶”，因此古人有升堂的说法。升阶是一阶一阶登上去，纳陛也是用脚蹬着一步一步走上去。阶和陛都是台阶的意思，普通的台阶就叫阶，帝王宫殿的台阶就叫陛。古代臣子与帝王谈话时，不敢直呼天子，必须先呼台阶下的侍者而告之。因此“陛下”的意思是通过在帝王台阶下的臣属向帝王传达话语，表示卑者向尊者进言。后来，“陛下”就成为对帝王的尊称。

思考讨论

我国古代建筑的“阶”和“陛”都是台阶的意思，它们的区别是什么呢？

yòu tōng guǎng nèi, zuǒ dá chéng míng

右通广内[1]，左达承明[2]。

jì jí fén diǎn, yì jù qún yīng

既集坟典[3]，亦聚群英。

dù gǎo zhōng lì, qī shū bì jīng

杜稿钟隶[4]，漆书壁经[5]。

本节写宫殿内典籍丰富，人才济济。

注释

[1]广内：汉代内廷藏书殿府，后泛指宫廷书库。 [2]承明：汉代未央宫里的殿名，其旁设有侍臣值夜之屋，后来以“入承明”为在朝廷做官的代称。 [3]坟典：指《三坟》、《五典》，传说是我国最古老的书籍，这里泛指古代典籍。 [4]杜：指汉代书法家杜度，擅长草书。钟：指三国时期书法家钟繇。 [5]漆书：以漆书写的文字。壁经：汉代鲁恭王在曲阜孔子故居的墙壁中发现的一批古代典籍。

要旨

宫殿的右边通向藏书的广内殿，左边通往群臣聚集休息的承明殿。

这里收藏了很多典籍名著，也聚集了成群的文武英才。

宫殿里有杜度的草书作品，钟繇的隶书作品，还有漆写的古书和孔府墙壁里发现的经书。

经典故事

壁经出世

秦始皇焚书坑儒时，孔子的八世孙孔鲋担心儒家经典从此失传，就把一大批儒学经卷悄悄地藏在孔府的夹壁墙里。时间一久，谁也不知道这件事情。

汉武帝末年，鲁恭王刘余为了扩大自己宫室的规模，把孔府旧宅给侵占了，在拆墙的时候发现了大量战国时期用当时六国通用的蝌蚪古文抄写的竹简，里面有《尚书》、《礼记》、《论语》、《孝经》等数十篇文章。这些文献的发现，使得当时的人们能够重新阅读到秦始皇焚书坑儒以前的珍贵文化遗存，儒学思想文化得以传续。

知识链接

藏　书

中国古代殷商时期已有史官，称为“作册”或“史”，他们是王室文献的草拟者和存藏者。《尚书·多士》中说：“惟殷先人，有典有册。”这些典册就是有关殷王室的文献。

据《左传》记载：春秋时楚灵王说，他的“左史”倚相是位“良史”(很好的史官)，能读传说中最古老的书：《三坟》、《五典》、《八索》、《九丘》等。

《汉书·艺文志》说“左史记言，右史记事”，则是周王朝的制度。周王室和各诸侯国的史官称“史”或“太史”，他们既记载各国政事，又负责保藏政府文献。现在所说的图书和文献档案，在当时并没有区别，统称图书或图籍，而且只保存于政府手中，私人是不能保藏的。所以，记载史事兼管文献的史官自然是很有学问的人。周天子和诸侯为了鉴古以知今，往往需向史官请教。

春秋末以博学多识见称于世的孔子曾问礼于老子。据《史记》记载，老子姓李名耳，字聃，“周守藏室之史也”。老子是东周王室的史官，这个藏室便是周王室有目的地收藏图书档案的地方。这是我国古代藏书的最早的相关记载。

思考讨论

你知道汉代宫廷广内殿和承明殿分别是指什么地方吗？你能说出几位古代书法家呢？

fǔ luó jiàng xiàng，lù jiā huái qīng

府罗将相，路侠槐卿[1]。

hù fēng bā xiàn，jiā jǐ qiān bīng

户封八县[2]，家给千兵[3]。

gāo guān péi niǎn，qū gǔ zhèn yīng

高冠陪辇[4]，驱毂振缨[5]。

本节写王公大臣的荣华富贵，建功立业。

注释

[1]侠：同“夹”。槐卿：指三公九卿。　[2]封：封地，分封。　[3]给：富裕，充足。　[4]冠：帽子。辇：指天子之车。　[5]毂：车轮中心的圆木，指代车轮。缨：带子，绳子。

要旨

宫廷内聚集着百官将相，依次排成两列。宫廷外候列着大夫公卿，夹道站立。

他们每家都有八县之广的封地，配备成千的士兵。

他们头戴高高的官帽，陪着皇帝的车辇出游，车马奔驰，帽带飘扬，威风凛凛。

经典故事

叔向贺贫

我们平常过年过节朋友见面都会说“恭喜发财”，可是我国春秋时期的晋国大夫叔向却是个特例。

一天，叔向去拜见韩宣子，正遇上宣子为自己不够富有而发愁。叔向不但不附和宣子，反而向他道贺。宣子很纳闷地问：“大人，您难不成是在嘲讽我吗？”

叔向答道：“不，我不是那个意思。从前正卿栾武子尽管生活清贫，但是他的德行高尚，所以，诸侯各国和戎狄都尊重他、归附他，恩及子孙。而桓子之子怀子就没有这么幸运了。再如郤昭子，他依仗自己的财产和势力，过着极其奢侈的生活，因而也不得善终，被陈尸在朝堂上，郤氏一族那么大的家业也断绝了。现在您和栾武子的清贫相仿，如果您能够继承他的德行，我难道不应该向您道贺吗？”

韩宣子听罢，慌忙下拜叩头，说：“大人，全靠您的一番话拯救了我，让我清醒了不少。不但我本人得到了您的教诲，就是后世的子孙也要感激您的恩德呀！”

知识链接

封　地

封地，又称采邑、食邑，是统治者赏赐给有功之臣或宗亲，以土地使用权为核心的物质奖励。受封者不仅可以享受封地上的经济权益，还有政治上的统治权，这片土地上的老百姓须按户及时足额交纳赋税。封地大小一般不以土地面积来衡量，而是以居民的户数来计算的。

思考讨论

我国自古以来就是农业社会，百姓世代以耕种为生，古时分封以土地为主。你知道哪些带有“封”字的成语？

shì lù chǐ fù，chē jià féi qīng

世禄侈富[1]，**车驾肥轻**[2]。

cè gōng mào shí，lè bēi kè míng

策功茂实[3]，**勒碑刻铭**[4]。

本节写贵族因功受封。

注释

[1]禄：古代官吏的俸禄。侈：浪费。　[2]驾：古代车乘的统称，也专指帝王的车。肥轻：语出《论语·雍也》：“乘肥马，衣轻裘。”坐肥壮的马拉的车子，穿轻巧的皮衣。形容生活富奢。　[3]策功：记录功勋于策上。茂：勉励。实：事迹。　[4]勒：刻。铭：铭文

要旨

这些王公大臣的子孙世代享受优厚的俸禄，生活奢侈豪富；出门时乘坐肥壮的马拉的豪车，穿着轻巧的皮衣。

朝廷还详尽地记载了他们的功绩，并刻在石碑上流传后世。

经典故事

霍去病

霍去病是一个小吏和一个女奴的私生子。虽然出生卑微，但他的舅舅是抗击匈奴的大将卫青。卫青英勇善战，霍去病受其影响，从小就渴望建功立业，征战沙场。

当时汉朝边疆长年受到匈奴的侵扰，游牧民族的匈奴几乎把农耕为生的汉朝当成了自己予取予求的库房，烧杀掳掠无所不为。由于国力问题，汉朝一直没有解决这个祸患。十八岁的霍去病曾两次跟随卫青出征定襄。后霍去病被任命为骠姚校尉，领八百骑兵。战斗期间，霍去病只身一人在漫漫大漠之中英勇奋战，抗击匈奴。

霍去病在保家卫国的边疆战场上，奋勇杀敌，打击了匈奴的气焰。汉武帝为表彰他的功绩，曾亲自下令为他建造一座豪华府第，但是直到建造完工，霍去病都没去看一眼，他气概豪迈地说道："匈奴未灭，何以家为！"

公元前 117 年，霍去病病逝，年仅二十四岁。汉武帝在他墓前树起一尊"马踏匈奴"的石刻，表彰他英勇为国的精神，纪念他为国家和人民所作的贡献。

知识链接

勒碑刻铭

汉碑

石碑是我国古代书画艺术的重要载体之一，古人常将文字、图画刻在碑上以便保存。石鼓文是战国时期镌刻在石鼓上的文字。石柱文是镌刻在六棱石柱上的文字。刻铭是刻在青铜器上的字，现存的有盘铭文、钟鼎文。

刻碑又叫勒碑，勒是摹勒的意思，即将碑文直接用朱砂笔摹写到碑面上，待朱砂字印在石碑上，再用凿子镌刻。选用朱砂摹勒，是因为朱砂颜色鲜红、醒目，且朱砂是矿物质，颗粒粗，写出的字不会变形，不易脱落。

思考讨论

想一想，古人为什么要刻碑呢？

pán xī yī yǐn zuǒ shí ē héng
磻溪伊尹[1]，佐时阿衡[2]。
yǎn zhái qū fù wēi dàn shú yíng
奄宅曲阜[3]，微旦孰营[4]。

本节写建立卓越功勋的谋臣策士。

注释

[1]磻溪：水名，在今陕西，传闻姜太公吕尚曾在此钓鱼。[2]阿衡：商代官名。商汤授伊尹此官，管理国家大事。[3]奄：商朝的古地名。宅：开辟居住之地。曲阜：地名，今山东西南部。[4]微：如果没有。旦：指周公。孰：谁。

要旨

周文王在磻溪遇到了吕尚，尊他为太公望；伊尹辅佐朝政，商汤王封他为阿衡。

周武王占领了古奄国曲阜一带，要不是有周公旦辅佐，哪里能治理好？

经典故事

姜太公钓鱼——愿者上钩

我们都钓过鱼，知道鱼钩是弯的，而且一定要装有美味的鱼饵，静静地等待，才能钓到大鱼。可是，我国古代有个特别的人，他用直钩钓鱼。他就是姜太公吕尚。吕尚的钓钩

是直的，上面不挂鱼饵，也不沉到水里，反而离水面三尺。他边钓边说："不想活的鱼儿，就自己上钩吧。

一天，有个打柴的人来到溪边，见太公用不放鱼饵的直钩在水面上钓鱼，便对他说："老先生，像你这样钓鱼，一百年也钓不到一条鱼的！"

太公举了举钓竿，说："对你说实话吧！我不是为了钓到鱼，而是为了钓到王与侯！"

姬昌听到这个传闻，料想这位钓者必是贤才，要亲自请他才对。于是他吃了三天素，洗了澡更换了衣服，带着厚礼，前往磻溪聘请太公。太公见他诚心诚意来聘请自己，便答应为他效力。

后来，吕尚辅佐文王，兴邦立国，还帮助文王的儿子武王姬发灭掉了商朝，封于齐地，实现了自己建功立业的愿望。

知识链接

厨师宰相——伊尹

伊尹，夏末商初人，曾辅佐商汤建立商朝，帮助商汤制定各种典章制度，使商朝初期社会稳定，经济发展，被后人尊为中国历史上的贤相，奉祀为"商元圣"。

商王太甲在位初期很昏庸，伊尹就把太甲流放到桐长达三年，并摄政管理国家。直到太甲后悔了，伊尹才把他迎接回来重新执政，后来，太甲成为了一位圣明的君主。

伊尹也是历史上第一个以负鼎俎调五味而佐天子治理国

家的杰出厨师。他创立的“五味调和说”与“火候论”，至今仍是中国烹饪的不变之规。

伊尹一生辅弼商朝五代帝王。同时，他“教民五味调和，创中华割烹之术，开后世饮食之河”，在中国烹饪文化史上亦占有重要地位，被中国烹饪界尊为“烹调之圣”、“烹饪始祖”和“厨圣”。

思考讨论

作为臣子的伊尹为什么流放他的君主，他的做法对吗？

huán gōng kuāng hé jì ruò fú qīng

桓公匡合[1]，济弱扶倾[2]。

qǐ huí hàn huì yuè gǎn wǔ dīng

绮回汉惠[3]，说感武丁[4]。

jùn yì mì wù duō shì shí níng

俊乂密勿[5]，多士寔宁[6]。

本节写桓公等杰出人物。

注释

[1]桓公：齐国的国君齐桓公。匡：匡正，纠正。[2]济：救助。扶：帮助，援助。倾：危亡。[3]绮：指绮里季，汉初德高望重的老者。回：挽回。汉惠：汉惠帝。[4]说：即傅说。感：感应。[5]俊乂：贤德之人。密勿：

勤勤恳恳。　　[6] 多士：能人志士。寔：这里和“是”的意思相同，代词，这。宁：安宁。

要旨

齐桓公多次会合诸侯，救济弱小的国家，扶持危亡的周王室。

汉惠帝做太子时靠绮里季才保住王位，商君武丁因梦中启示而得贤相傅说。

正是有这些贤士勤勤恳恳地辅佐君王，国家才得以富强安宁。

经典故事

武丁梦傅说

傅说从政之前，身为奴隶，在傅岩做苦役。那里是虞、虢两地交界之处，又是交通要道，因山涧的流水常常冲坏道路，奴隶们就在这里版筑护路。傅说就靠从事版筑维持生计，虽有才干，无从施展。

商王武丁是一位励精图治的帝王。他即位之前，曾经生活在“小人”中间，比较了解民生疾苦。武丁即位以后，三年没有理政，国事全由家宰管理，他从旁观察，思索复兴殷商的方略。武丁梦见上天赐予他一位贤人，这个人身着奴隶衣服，说自己姓傅名说，正在做苦役。武丁醒来以后想：“傅者，相也。说者，悦也。天下当有傅我而悦民者哉！”他认为这是个好兆头，他将得到一位治理天下的好帮手了。天亮以后，他把这个梦告诉文武百官，却没有一个人相信。武丁就让人将梦中人的样子画出来，在全国寻找，果然在傅岩找到了正在干活的傅说，从此任命傅说为相。

傅说担任相国之后，辅佐武丁，大力改革，形成了历史上有名的“武丁中兴”。武丁一朝，是商代后期的极盛时期。

这个故事告诉我们身处逆境的时候不要怨天尤人，一定要相信“天生我材必有用”，是金子总会发光的。

知识链接

齐桓公与管仲

春秋时期的齐襄公是一个昏庸无能的君主，他在位期间国内一团混乱。后来，齐襄公被杀害，国内无君。齐襄公有两个兄弟，一个叫公子小白，一个叫公子纠，他们两人听到消息后都急忙赶回来争夺王位。当时辅佐公子纠的管仲射箭偷袭小白，却没有得手。

公子小白即是齐桓公，鲍叔牙极力向他推荐管仲为相，齐桓公也是位豁达大度的人，他不计前嫌，任命管仲为相，让他管理国政。齐桓公在管仲的帮助下灭掉了郯、遂等国，确立了齐国的霸主地位。

思考讨论

中国有句古话：英雄莫问出身。这句话告诉我们什么道理呢?

jìn chǔ gēng bà zhào wèi kùn héng
晋楚更霸[1]，赵魏困横[2]。
jiǎ tú miè guó jiàn tǔ huì méng
假途灭虢[3]，践土会盟。
hé zūn yuē fǎ hán bì fán xíng
何遵约法[4]，韩弊烦刑[5]。

本节写春秋战国时期至汉初重要的历史事件。

注释

[1]更：替代。　[2]横：连横。战国时期，齐、楚、燕、赵、魏、韩等六国联合抵抗强大的秦国，叫做合纵。六国中有些国家跟随秦国攻打别国叫做连横。秦国远交近攻，与秦接壤的韩、赵、魏先后被灭，所以说“赵魏困横”。　[3]假途灭虢：春秋时期晋献公向虞国借道攻打虢国。假，借。[4]何：指萧何，汉初三杰之一。　[5]韩：韩非子，战国时期法家代表人物。

要旨

齐之后，晋、楚两国先后称霸；赵魏两国首先受困于连横的策略。

晋国向虞国借路消灭虢国，结果连虞国也一起消灭了；之后，晋文公在践土召集诸侯歃血为盟。

萧何遵奉汉高祖简约的精神制定了律法九章，韩非却受困于他自己主张的严苛刑法。

经典故事

唇亡齿寒

春秋时候，晋献公借口说邻近的虢国经常侵犯本国的边境，打算派兵灭了虢国，扩充自己的实力和地盘。可是在晋国和虢国之间隔着一个虞国，讨伐虢国必须经过虞地。这让晋献公犯了难。

“怎样才能顺利通过虞国呢？”晋献公问手下的大臣。

大夫荀息说：“攻打虢国，必须得经过虞国，虞国国君是个目光短浅、贪图小利的人，只要我们送些珍珠宝马给他，与之交好，他自然会借道给我们的。”晋献公一听有点舍不得，荀息看出了晋献公的心思，就说：“虞虢两国是唇齿相依的近邻，虢国灭了，虞国也不能独存，到时候所有的就都是大王您的了。”晋献公采纳了荀息的计策。

虞国国君见到珍贵的礼物，顿时心花怒放，满口答应借道攻打虢国的事情。虞国大夫宫之奇听说后，赶紧阻止道：“不行，不行，俗话说‘唇亡齿寒’，虞国和虢国是唇齿相依的近邻，关系十分密切，万一虢国灭了，我们虞国也就难保了。借道给晋国万万使不得。”虞公却不听劝告。宫之奇听后连声叹气，知道虞国灭亡的日子不远了，就带着一家老小离开了。

果然，晋国军队借道虞国，先消灭了虢国，随后又灭了虞国。

唇亡齿寒比喻双方关系密切，相互依存。所以，我们看事情眼光要长远，不能局限于眼前的蝇头小利。

知识链接

合纵与连横

合纵的目的在于联合许多弱国共同抵抗一个强国，以防止强国的兼并。连横的目的则在于以一个强国为靠山，从而进攻弱国，以达到兼并和扩张土地的目的。合纵连横的实质是战国时期各大国为拉拢他国而进行的外交、军事斗争。

思考讨论

关于“合纵与连横”，你知道多少呢？查找些资料，与伙伴们讨论下吧！

qǐ jiǎn pō mù[1]， yòng jūn zuì jīng。

起翦颇牧[1]，用军最精。

xuān wēi shā mò[2]， chí yù dān qīng[3]。

宣威沙漠[2]，驰誉丹青[3]。

本节写战国四大名将。

注释

[1]起翦颇牧：指战国时期四大名将，分别是白起、王翦、廉颇、李牧。 [2]宣威沙漠：声名远传沙漠边地。

[3]驰誉丹青：四位将军的肖像被画师用丹青妙笔画下，永垂青史。

要旨

秦将白起、王翦，赵将廉颇、李牧，是最精通用兵作战的将领。

他们的声威远扬到北方的沙漠一带，美名和肖像永远留存在史册中。

经典故事

负荆请罪

蔺相如原是地位卑下的门客，后凭借机智和勇敢保住和氏璧，维护了赵国的尊严，又在渑池之会上立下汗马之功。赵王将蔺相如封为上卿，职位比大将军廉颇还高。

廉颇很不服气，一心想找蔺相如麻烦，蔺相如却躲着廉颇。有一天，蔺相如坐车出去，远远看见廉颇骑着高头大马过来了，他赶紧叫车夫把车往回赶。蔺相如手下的人可看不过去了，他们说，蔺相如见廉颇就像老鼠见了猫似的。蔺相如对他们说："诸位请想一想，廉将军和秦王相比，谁厉害？"他们说："当然秦王厉害！"蔺相如说："秦王我都不怕，会怕廉将军吗？大家知道，秦王不敢进攻我们赵国，就因为武有廉颇，文有蔺相如。如果我们俩闹不和，就会削弱赵国的力量，秦国必然乘机攻打我们。我之所以避着廉将军，为的是我们赵国啊！"

蔺相如的话传到了廉颇的耳朵里。廉颇静下心来想了想，觉得自己不对。于是，他脱下战袍，背上荆条，到蔺相如府上请罪。蔺相如见廉颇负荆请罪，连忙热情地出来迎接。从此以后，他们俩成了好朋友，同心协力保卫赵国。

知识链接

水墨丹青

丹青，指的是画作。因为我国古代绘画常用朱红色、青色两种颜色，所以用“丹青”来指代画作。水墨丹青，即水墨画。

水墨画是中国画的一种，指纯用水墨所作之画，相传始于唐代，成于五代，盛于宋元，明清及近代以来续有发展。水墨画以笔法为主导，充分发挥墨法的功能。“墨即是色”，指墨的浓淡变化就是色的层次变化，“墨分五彩”，指色彩缤纷可以用多层次的水墨色度代替。

思考讨论

知道了“负荆请罪”的故事，你觉得廉颇有哪些品质值得我们学习？

jiǔ zhōu yǔ jì，bǎi jùn qín bìng。
九州禹迹[1]，百郡秦并[2]。
yuè zōng tài dài，shàn zhǔ yún tíng。
岳宗泰岱[3]，禅主云亭[4]。

本节写九州大地风采。

注释

[1] 九州：泛指中华大地，上古时期，中国被划分为九个州。禹：大禹，古代治水英雄。 [2] 百郡秦并：秦始皇统一中国，设置郡县。 [3] 岳：指五岳，即东岳泰山、西岳华山、南岳衡山、北岳恒山、中岳嵩山。宗：推崇，尊崇。[4] 禅：在泰山祭祀土地日“禅”。

要旨

九州之内都留下了大禹治水的足迹，天下数以百计的郡县，是秦始皇统一中国的成果。

五岳以泰山为尊，历代帝王都在云山和亭山主持禅礼。

经典故事

大禹治水

舜帝时代，黄河流域洪水泛滥，人们深受其害。舜帝派鲧治水不成，就派鲧之子禹继父业治水。

大禹一去就是十三年，曾三过家门而不入。一次，禹的妻子涂山氏得知夫君治水要路过，非常高兴，连忙准备饭菜。可是，等到饭菜都凉了还没看见大禹回来。她出门一打听，原来大禹已经到下一个地方治水去了。还有一次，大禹接到治水指令，路过家门，听见家里孩子的哭声，大禹也没能回家看望。孩子长大了，却从来没见过父亲。

大禹治水的故事现在仍广为传颂。嵩山一带乡间还流

大禹治水

传着这样的歌谣：一过家门听骂声，二过家门听笑声，三过家门捎口讯，治平洪水转家中。这四句普普通通的家常话，体现了大禹的事业心和责任感。大禹的精神难能可贵，世所罕见。

知识链接

五　岳

“岳”即高峻的山。中国古代认为高山“峻极于天”，并把位于中原地区的东、南、西、北四方和中央的五座高山定为“五岳”。五岳是远古山神崇拜、五行观念和帝王巡猎封禅相结合的产物，后为道教所继承，被视为道教名山。“东岳泰山之雄，西岳华山之险，北岳恒山之幽，中岳嵩山之峻，南岳衡山之秀”早已闻名于世。人们常说“五岳归来不看山”，也有“恒山如行，泰山如坐，华山如立，嵩山如卧，唯有南岳独如飞”的说法。五岳并不是最高峻的山岭，但因为耸立在平原或盆地之上，就显得格外险峻。

思考讨论

除了五岳之外，你还知道哪些名山大川？如果你游览过，就与伙伴们交流一下经历和感受吧！

yàn mén zǐ sài jī tián chì chéng
雁门紫塞[1]，鸡田赤城[2]。
kūn chí jié shí jù yě dòng tíng
昆池碣石[3]，巨野洞庭[4]。
kuàng yuǎn mián miǎo yán xiù yǎo míng
旷远绵邈[5]，岩岫杳冥[6]。

本节介绍神州大地绮丽山河。

注释

[1]雁门：北疆的雁门关。紫塞：指长城。 [2]鸡田：中国最古老、最远的驿站，在西北的鸡田，今宁夏灵武一带。赤城：浙江天台山的主峰，因山石色红而得名。 [3]昆池：云南滇池。碣石：河北碣石山，现已沉入渤海。 [4]巨野：巨野泽，在今山东。洞庭：洞庭湖，在今湖南。 [5]旷远：幅员辽阔，没有边际。绵邈：连绵遥远的样子。 [6]岫：山洞。杳：众多。冥：昏暗。

要旨

名关有北疆雁门关，要塞有万里长城，驿站有边地鸡田，奇石有天台赤城峰。

赏池赴昆明滇池，观海临河北碣石，看泽去山东巨野，望湖在湖南洞庭。

我国幅员辽阔，连绵遥远。山谷高俊深幽，变化莫测。

经典故事

滇池的由来

相传很多年前，昆明没有湖泊，也没有河流。由于没有水源灌溉，再加上常年缺少雨水，土地贫瘠，人们生活困苦。

一日，一个年轻猎人终于忍不住，决定出发去寻找水源。他告别家人与村人，独自上路。翻越山岭，历经长途跋涉，终于看到了东海。他欣喜若狂，可是马上又陷入烦恼，怎么将这些水运回村庄呢？

猎人在海边发愁，突然看见一只老鹰从海里叼走了一条小红鱼，猎人马上挽弓射老鹰，救了小红鱼。没想到，这条小红鱼其实是东海龙王的三公主。龙王见猎人器宇不凡，便想将女儿许配给他。可是，猎人早已有了妻子，他执意不肯，龙王发怒，将他变成了一条小黄龙。

猎人忘不了家乡和亲人，一天，他乘龙王不注意时喝了一大口东海的水，悄悄飞回昆明。可是在家乡他没看见妻子，原来她因为思念过度化成了睡美人山。猎人悲痛欲绝，他在昆明吐出东海的水，形成了一个湖泊，然后自己撞山而亡。这个湖泊就是滇池。昆明因为有了滇池的灌溉，万物有了生机，成为了一个美丽富饶的地方。

滇池湖光山色，水面宽阔，既有湖泊的秀丽，又有大海的气魄，十分壮丽。

知识链接

雁门山

雁门山因两山东西对峙，其形如门，飞雁出没其间而得名。雁门关高踞雁门山上，为“天下九塞”之首，是塞北高原通向华北的重要通道。在中国历史上，雁门关一直是游牧民族南下的前线要塞，许多名将在这里建立了不朽的功业。赵国李牧曾诱敌深入，大破匈奴十万余骑；汉朝卫青、李广和霍去病先后从雁门关出兵北讨匈奴。

思考讨论

小朋友，你知道中国有哪些著名的湖泊吗？

第四章　齐家治国

zhì běn yú nóng　wù zī jià sè
治本于农[1]，务兹稼穑[2]。
chù zǎi nán mǔ　wǒ yì shǔ jì
俶载南亩[3]，我艺黍稷[4]。
shuì shú gòng xīn　quàn shǎng chù zhì
税熟贡新[5]，劝赏黜陟[6]。

本节写我国古代的农业生产。

注释

[1] 治：治理国家。　[2] 兹：这，这里。稼穑：播种与收获，泛指农业劳动。　[3] 俶载：开始从事。南亩：泛指农作物。　[4] 艺：种植。黍稷：黄米和谷子，对粮食的统称。　[5] 税：上交。熟：成熟的作物。贡：进献。新：刚成熟的作物，如新麦。　[6] 劝：鼓励，勉励。黜陟：官职的进退升降。黜，贬斥。陟，提升。

要旨

治国的根本在于发展农业，务必做好播种与收割这些农活。一年的农活开始了，我在向阳的土地上种上黄米和谷子。

在收获的季节，要用刚熟的新谷向国家交纳税粮。

官府应按农户的贡献多少给予奖励或处罚，对有关官吏予以升迁或降职。

经典故事

重耳受土

晋国王室内部发生骚乱，晋公子重耳遭受迫害，长期流亡在外。一天，重耳和他的随从风尘仆仆地来到一个叫五鹿的地方。由于长时间没有饮水进食，众人精疲力竭，口干舌燥，狼狈不已。

来到野外田头，见路旁的大树下有几个耕地的农夫，正围着在吃午饭，重耳想去问他们要点食物来应急。农夫看他们这些人的打扮和说话口气，不耐烦地说：“贵族家里有的

重耳

是山珍海味，鸡鸭鱼肉，膳食美酒，你们怎能吃得下这粗茶淡饭？”有的说：“贵族怎么还向穷人要饭？我们自己都吃不饱呢。”这时有人搭腔道：“既然你想要，那就给你吧。”说着从地上捡了一块土递过去。

重耳一听满心欢喜，定睛一看递过来的是一块土疙瘩，恼羞成怒，正待发作，被狐偃制止了：“这是我们将要得到土地的吉兆，是苍天给我们带来的喜讯。”重耳一听狐偃说是苍天赐给的土，立即面向北方，跪在地上，从狐偃手中接过那块泥土，捧在手中，贴在胸前，郑重其事地把它放在车中继续向前走去。

后来，重耳当上了晋国国君，就是晋文公。他礼贤下士，重视农业生产，开创了晋国长达百年的基业，成为春秋五霸之一。

知识链接

五　谷

“五谷”这一名词的最早记录，见于《论语》：“四体不勤，五谷不分，孰为夫子。”根据《史记·天官书》、《吕氏春秋》、《黄帝内经》、《孟子》等书记载，五谷主要有两种解释：一种指稻、黍、稷、麦、菽，另一种指麻、黍、稷、麦、菽。现在通常说的五谷，是指稻谷、麦子、大豆、玉米、薯类，而习惯将米和面粉以外的粮食称作杂粮，五谷杂粮即泛指粮食作物。

思考讨论

古代有很多诗人都写过描述农业生产和农民生活疾苦的诗歌，你们读过哪些呢？和伙伴们交流一下吧！

mèng kē dūn sù shǐ yú bǐng zhí

孟轲敦素[1]，史鱼秉直[2]。

shù jī zhōng yōng láo qiān jǐn chì

庶几中庸[3]，劳谦谨敕[4]。

本节写做人要谦虚谨慎，正直纯洁。

注释

[1]孟轲：即孟子。敦：崇尚。素：素位，指儒家所提倡的安于平素所处地位的立身处世态度。 [2]史鱼：春秋时卫国大夫，以正直敢谏著名。 [3]庶几：希望达到。中庸：儒家提倡的中庸之道。 [4]谨：慎重，小心。敕：告诫。

要旨

孟子崇尚质朴，史官子鱼秉性刚直。

做人要尽可能地合乎中庸的标准，要勤奋、谦逊、谨慎，懂得自我规劝。

经典故事

谏臣史鱼

古代有很多官员因为敢于进谏而名留青史。他们中有被君王赏识，谏言被君王听取的，如魏征；有进谏失败遭到贬黜的，如屈原；有进谏惹怒君王遭到杀害的，如比干。而史鱼则以“尸谏”名留史册。

史鱼，曾经在卫灵公时担任史官。那时，卫灵公宠爱弥子瑕，常常任其为所欲为，朝廷上下极为不满。史鱼数次冒死劝谏，请求对弥子瑕加以管教，但灵公始终不愿听从。史鱼临死之前，给儿子留下遗言说陈尸于窗下，几日后再处理。

卫灵公听说史鱼驾鹤西去以后十分悲伤。他赶过去参加葬礼时，看见史鱼的尸体摆在窗下，感到很奇怪，便问史鱼的儿子为什么。史鱼的儿子回答说：“我父亲临死前一再叮嘱我说：‘我活着的时候没有能够匡扶君主，除暴安良，死了以后就没有理由按照礼制安葬。’”

卫灵公听后，幡然醒悟，领悟了史鱼以暴尸窗下劝谏的良苦用心，疏远了弥子瑕。孔子听到这件事，大加赞赏，称之为：“直哉史鱼！邦有道如矢，邦无道如矢。”意思是，无论社会动乱还是安定，史鱼的言行总是向箭一样正直。

知识链接

中 庸

“中庸”是我国古代儒家哲学中的基本观念，“中庸”是儒家道德修养的最高境界，“中庸”又是普遍的方法学。“中”指适中，中和，不偏不倚、无过无不及的标准。“庸”有三义，一是平常，一是不易，一是用。

《论语·雍也》谈到“中庸”，孔子说：“中庸之为德也，其至矣乎！民鲜久矣。”孔子又说：“不得中行而与之，必也狂狷乎！狂者进取，狷者有所不为也。”（《论语·子路》）子思进一步论述孔子的思想，作《中庸》，发展“中”的观念。子思说：“君子中庸，小人反中庸。君子之中庸也，君子而时中；小人之（反）中庸也，小人而无忌惮也。”还说：“舜其大知也与！舜好问而好察迩言，隐恶而扬善，执其两端，用其中于民，其斯以为舜乎！”从孔子和子思的言论中，我们可以看出，“中庸”、“中行”、“时中”、“执其两端，用其中于民”就是“中庸”最主要的内涵。

北宋程颢、程颐极力尊崇《中庸》，南宋朱熹又作《中庸章句》，并把《中庸》和《大学》、《论语》、《孟子》并称为“四书”。

今天，我们理解“中庸”时，应避免庸俗化，同时还应注意到：万事万物都存在一定的标准和限度，超过这个限度和达不到这个限度，本质上并没有什么不同。

思考讨论

史鱼的故事给了我们什么启发？当他人有错误时，我们要如何规劝他呢？

líng yīn chá lǐ jiàn mào biàn sè
聆音察理[1]，鉴貌辨色[2]。
yí jué jiā yóu miǎn qí zhī zhí
贻厥嘉猷[3]，勉其祗植[4]。

本节写与人相处的道理。

注释

[1] 聆：聆听。察：观察。理：话里面的道理。
[2] 鉴：原指铜镜，引申为观察借鉴。 [3] 贻：赠送，送给，引申为遗留。厥：代词，他，他们的。猷：计谋。 [4] 祗：恭敬。植：树立，立身。

要旨

听别人说话，要仔细审察话里面的道理；看别人面孔，要小心辨析他的脸色。

要给子孙留下有益的忠告，勉励他们处世立身须谨慎。

经典故事

以人为镜

古语有云：以铜为镜，可以正衣冠；以史为镜，可以知兴衰；以人为镜，可以明得失。唐太宗正是一直将这句话放在心中，才促成了他的“贞观之治”，使得唐朝成为我国古代繁荣发展的时期。

唐太宗有个大臣名叫魏征。他非常正直，只要对国家有利的话，他都敢说。

有一次，唐太宗问魏征说：“历史上的人君，为什么有的人明智，有的人昏庸？”魏征说：“多听听各方面的意见，就明智；只听单方面的话，就昏庸。”他然后列举了历史上尧、舜和秦二世、梁武帝、隋炀帝等例子，说：“治理天下的人君如果能够采纳下面的意见，那么下情就能上达，他的亲信要想蒙蔽也蒙蔽不了。”唐太宗连连点头称是。

后来，直言敢谏的魏征病逝了。唐太宗很难过，他流着眼泪说：“一个人用铜做镜子，可以照见衣帽是不是穿戴得端正；用历史作镜子，可以看到国家兴亡的原因；用人作镜子，可以发现自己做得对不对。魏征一死，我就少了一面好镜子了。”

知识链接

识人有道——《人物志》

中国古代有一本专门鉴别人的品德、才干、性格、情操等方面的书，叫做《人物志》，是三国时期一位叫刘劭的学者编写的。

这本书首先总结了各类型人才在生理素质、气质、性格和才能等方面的差异，以及适宜从事的职业和所能担当的职务；然后详细介绍了如何从形体、容貌、神态、言谈、举止以及心理等方面综合观察、鉴别人才，如何与之相处，如何正确使用以发挥其最大效益等；最后对人物鉴别中容易出现的失误、人才失败与成功的原因进行了深入探索。

这是我国古代人才观极好的一本入门书。

思考讨论

生活中当你要规劝他人的时候，你有什么好办法和技巧呢？

xǐng gōng jī jiè chǒng zēng kàng jí
省躬讥诫[1]，宠增抗极[2]。
dài rǔ jìn chǐ lín gāo xìng jí
殆辱近耻[3]，林皋幸即[4]。
liǎng shū jiàn jī jiě zǔ shuí bī
两疏见机[5]，解组谁逼[6]。

本节写修身之道。

注释

[1]省躬：反省自己。省，检查。躬，自身。讥：劝谏。诫：警诫。 [2]宠：尊贵荣耀。抗："亢"的通假字，高级，上等。极：极限，极点。 [3]殆：近于。 [4]皋：水边的高地。幸：侥幸。即：靠近，接近。 [5]两疏：汉宣帝时的疏广和侄子疏受两人。疏广，字仲翁，西汉兰陵人，是当时的著名学者，对《春秋》颇有研究。汉宣帝征他为博士，授以太子太傅的官职，他的侄子疏受被聘为太子少傅。太傅与少傅是辅导太子的官职，地位相当高。机：机兆，先兆，是事机萌动，尚未发出之时的微小状态。 [6]解组：解下授印，指辞去官职。解，解除。组，系官印的绶带。

要旨

当听到别人的讥讽告诫时，要反省自身；当备受恩宠的时候，也不要得意忘形。

如果知道有危险或耻辱的事即将发生，不如归隐山林，或许可以幸免于祸。

疏广、疏受叔侄预见到危险的先兆，于是告老还乡，有谁逼迫他们解下绶印呢？

经典故事

二疏散金

汉宣帝时，疏广主治《春秋》，是闻名遐迩的经学大师。

他待人宽厚，求学之人接踵而至。他的侄子疏受，也很贤良，二人分别官至太傅与少傅。作为皇太子的老师，二人每天谆谆教导太子，除了讲解经典著作外，还教导他将来要做个明君。

后来叔侄二人一起辞官归田，非常器重他们的汉宣帝赏赐给他们将近百两黄金。回到乡里，他俩除了用这些钱财周济贫困之人，还经常设宴摆席，与故旧族人一同饮酒行乐。这时有人出来说闲话了，劝告他们为自己子孙留点钱财。疏广却说出这样一番话来："如果我留给他们这么多的钱财，那只能增长他们的惰性。如果他们贤能，这些钱财反而折损他们的意志；如果他们愚蠢而危害世人，这些钱财就更增加了他们的过错。"于是劝说的人都很佩服。

叔侄俩死后，乡邻对他们的散金之德念念不忘，为了教育后人，便将他们当年散金的土台子加固并保护起来，取名为"散金台"。

知识链接

古人的自省修身

中国古代读书人特别重视自省修身之道。孔子的弟子曾子提出从天子到百姓，都要以修身为本，且要持之以恒。他提出了"吾日三省吾身"之说，就是每天要多次反省自己：替别人办事是否尽忠？与朋友交往是否诚实？老师所传学业是否复习了呢？

从曾子开始，自省修身便成为中国人内心世界的强烈追求，也奠定了中国人注重人生的人本主义倾向。唐代张九龄将儒家的修身之道概括为四方面：正志虑，端形体，广学问，养性情。宋代欧阳修简化为八个字："内正其心，外正其容。"

为了正心和正容，古代人还想出了不少办法。明代有个读书人徐溥采用"投豆法"。他从很小的时候，就注意自己的一言一行，注意随时修养品德，积善除恶。他仿效古人，用两个瓶子装豆子，一个装黄豆，一个装黑豆。头脑里有善念，说善话，行善事，就在黄豆瓶子里装一粒黄豆。有恶念，说粗话，行恶事，就在黑豆瓶子里装一粒黑豆。开始时，黑豆多，黄豆少，他便不断扬善抑恶，慢慢地，黄豆与黑豆差不多了。日积月累行善，黄豆到底比黑豆多了。就这样，他一直坚持修己，即使官至华盖殿大学士，也没有忘记积善除恶，修身养性。

思考讨论

对待事业，有的人采取功成身退的做法，有的人却激流勇进、勇往直前。小朋友，你对此怎么看呢？

suǒ jū xián chǔ, chén mò jì liáo
索居闲处[1]，沉默寂寥[2]。

qiú gǔ xún lùn, sàn lǜ xiāo yáo
求古寻论[3]，散虑逍遥[4]。

xīn zòu lèi qiǎn, qī xiè huān zhāo
欣奏累遣[5]，戚谢欢招[6]。

本节写归隐者自由自在的生活。

注释

[1]索居:一个人独处。索,萧索,冷冷清清的样子。闲处:无所事事、清静悠闲。 [2]沉默：沉静、不多讲话。寂寥:心中空空洞洞、没有杂念。 [3]求古:探求古人古事。寻论：读写至理名言。 [4]散虑：排除杂念。散，驱散、放逐的意思。虑，心中的忧虑、杂念。逍遥：自由自在、无拘无束、悠然自得的样子。 [5]欣：欢欣、喜悦。奏：古代臣子对皇帝陈述事情。累:心中牵挂的烦心事。遣:排遣、排除。 [6]戚：指心中的忧虑和悲哀。谢：拒绝，推辞。欢：欢乐。招：招致、聚集的意思。

要旨

他们离群独居，悠闲度日，整天不用多费口舌，清静无为，岂不是好事?

探求古人古事，读写至理名言，就可以驱散忧虑和杂念，自由自在，悠然自得。

轻松的事凑到一起，费力的事丢在一边，排遣不尽的烦恼得来无尽的欢乐。

经典故事

不为五斗米折腰

陶渊明，字元亮，东晋时期著名的文学家，因其门前有五棵柳树，故自称五柳先生。他担任彭泽县令其间，一天，衙役来报：过几天郡里派的督邮要到彭泽来视察。陶渊明认识那个督邮，他是个依仗权势、阿谀逢迎，却又不学无术的花花公子。一想到自己将要整冠束带、强作笑脸去迎候这种小人，实在忍受不了。他的倔脾气又发作了："我怎么能为了这五斗米官俸，去向那种卑鄙小人低头呢？"于是，他毅然决然地取出官印，脱下官服，整理行李准备回老家。

第二天天还没亮，陶渊明就已经坐上小船出发，他早就盼望着悠然自得的田园生活了。等到天色大亮，他远远地就看见了那熟悉的老屋，还有门前随风摇曳的柳树。孩子们欢呼着迎接他，妻子给他斟好美酒，他环视着庭院的松柏花菊，感到轻松惬意。

从此，陶渊明离开官场，开始了"种豆南山下"的田园生活，并给后人留下了一首首优美的田园诗。

采菊东篱下，悠然见南山

知识链接

知人论世

“知人论世”这个成语出自《孟子》：“以友天下之善士为未足，又尚论古之人。颂其诗，读其书，不知其人，可乎？是以论其世也，是尚友也。”意思是，向身边的贤人学习，与他们交朋友，如果还不够的话，就要追论古人。吟诵他们的诗，研读他们的著作，不了解他们的为人，可以吗。知人论世意即要更好地了解一个人，就要研究他所处的时代背景和环境。现在也用来指辨别人物的好坏，议论世事的得失。

千字文

思考讨论

遇到烦恼，你是唉声叹气，还是用其他方法来排解烦恼呢？与伙伴们交流一下，看看谁的方法好。

qú hé dì lì，yuán mǎng chōu tiáo。
渠荷的历[1]，园莽抽条[2]。

pí pá wǎn cuì，wú tóng zǎo diāo。
枇杷晚翠[3]，梧桐蚤凋[4]。

chén gēn wěi yì，luò yè piāo yáo。
陈根委翳[5]，落叶飘摇[6]。

yóu kūn dú yùn，líng mó jiàng xiāo。
游鹍独运[7]，凌摩绛霄[8]。

本节写归隐之人向往的境界。

注释

[1]渠:水沟，此处指水塘。的历:花开光彩灿烂的样子。[2]园:园林、园圃。莽:草木茂盛，莽莽苍苍的样子。抽条:草木拔枝，长出新枝嫩芽。 [3]翠:绿色。 [4]蚤:通“早”,指月初或早晨。 [5]陈根:腐烂的树根。委:枯萎，衰败。翳:倒在地上的枯木。 [6]飘摇:飘荡，飞扬。[7]鹍:古书中记载的一种大鸟。运:移动,这里是翱翔的意思。[8]凌:向上升高。摩:迫近，接近。绛:赤色。霄:天空。

要旨

池塘里的荷花开得光彩灿烂,园中的草木抽出条条嫩枝。

枇杷树的叶子到了冬天还是苍翠欲滴，梧桐树的叶子刚到秋天就早早地凋谢了。

陈根老树枯死后倒在地上，落叶在秋风里四处飘荡。

寒秋之中，鲲鹏独自展翅高飞，直冲布满彩霞的云霄。

经典故事

李愿在盘谷的日子

公元 792 年，才华横溢的韩愈如愿参加科举考试并且中了进士，但久久不被重用。

一天，韩愈的好友李愿回来看他。李愿一直在一个叫盘谷的地方过着隐居的生活。那个地方处于盘谷中间，泉水甜美而土地肥沃，草木丰茂，泉水淙淙，小溪潺潺，四季景色

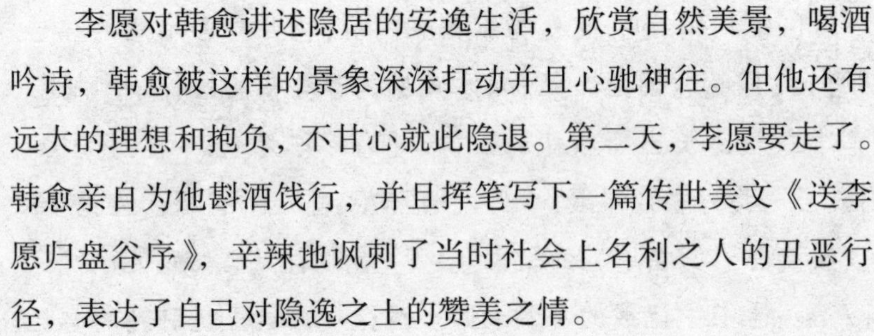

完全不同，抬头远望，时而还能看到雄鹰在蓝天翱翔。

李愿对韩愈讲述隐居的安逸生活，欣赏自然美景，喝酒吟诗，韩愈被这样的景象深深打动并且心驰神往。但他还有远大的理想和抱负，不甘心就此隐退。第二天，李愿要走了。韩愈亲自为他斟酒饯行，并且挥笔写下一篇传世美文《送李愿归盘谷序》，辛辣地讽刺了当时社会上名利之人的丑恶行径，表达了自己对隐逸之士的赞美之情。

我们身处浮躁的社会，要学会静下心来，为自己开辟一块精神上的世外桃源，或沉浸于读书写作，或专心于下棋、绘画等，不应当随波逐流、丧失自我。

知识链接

鲲鹏展翅

鲲鹏是古代传说中的大鱼和大鸟，也指鲲化成的大鹏鸟，出自于《庄子·逍遥游》："北冥有鱼，其名为鲲。鲲之大，不知其几千里也。化而为鸟，其名为鹏。鹏之背，不知其几千里也；怒而飞，其翼若垂天之云。"鲲鹏展翅高飞后来衍生为"鲲鹏之志"的成语，用于形容志向远大，寓意意气风发地追寻理想。

思考讨论

古人赋予花草树木一些美好的品德，你能列举一些吗？

dān dú wán shì，yù mù náng xiāng
耽读玩市[1]，寓目囊箱[2]。
yì yóu yōu wèi，zhǔ ěr yuán qiáng
易辅攸畏[3]，属耳垣墙[4]。

本节是写读书要专心，不受外界影响。说话要当心，谨防祸从口出。

注释

[1]耽：沉浸、入迷。玩市：热闹的集市、游玩的场所。[2]寓目：眼睛盯着。寓，寄托。囊：口袋。　[3]易：轻易，忽视。辅：轻车。攸畏：所畏，有所畏惧。攸，所。[4]属耳：侧耳听，指窃听。垣：矮墙，也泛指墙。

要旨

汉代的王充在街市上沉迷留恋于读书，眼睛注视的都是书袋和书箱。

即使换了轻便的车子也要注意危险，说话最忌旁若无人，要留心隔着墙壁有人在偷听。

经典故事

王充《论衡》

王充是东汉时期一位杰出的思想家。他小时候读书非常用功，年轻时游学洛阳，因家里穷困，买不起新书，他就站在书铺里阅读，他一边阅读，一边思考，逐渐成为了一个很有见地的人。20 岁时，王充到洛阳太学求学，他读书十分认真，记忆力又强，一部新书，读过一遍就能把主要内容记下来。就这样，他的知识积累得越来越多。

王充看不惯朝廷的腐败，不愿为官，一生大部分时间都在家里写书。《论衡》就是他最有名的著作。为了写《论衡》，他搜集的资料装满了几间屋子，房间里放满了写作的工具。他闭门谢客，拒绝应酬，皓首穷经，终于完成了这部唯物主义哲学巨著。

《论衡》共八十五篇，被称为奇书。这部著作的主要内容是宣传科学和无神论，是公元 1 世纪的一盏闪烁着智慧之光的明灯。

知识链接

洛阳太学

在中国古代太学中，以洛阳太学最为著名，它始创于西汉武帝时期，鼎盛于东汉，经曹魏、西晋，至北朝末衰落，历时近七百年，是屹立在世界东方的第一所国立中央大学，在中国教育史上堪称奇葩(pā)。东汉时，洛阳太学规模浩大，人数最多时达到三万人，培养出了诸如郑玄、马融等经学大师，对后世影响极为深远。

思考讨论

王充小时候专心读书，长大后成就了一番事业。小朋友，你还知道哪些古人勤学苦读的故事呢？

jù shàn cān fàn　shì kǒu chōng cháng
具膳餐饭[1]，适口充肠[2]。

bǎo yù pēng zǎi　jī yàn zāo kāng
饱饫烹宰[3]，饥厌糟糠[4]。

本节写居家饮食之道。

注释

[1]具：动词，准备、料理。膳：饭食。餐：在古汉语中也是动词，有吞食之意。饭：五谷煮的素食。　[2]适口：可口、咸淡适宜。充肠：能吃饱。　[3]饫：因吃饱而厌食。烹宰：指精美的食物。烹，用水煮。宰，宰杀。

[4]厌：满足。糟糠：指粗劣的食物。糟，酒渣。糠，谷子的外壳，用作饲料。

要旨

安排平时的饭菜，要适合大家的口味，能让大家吃饱。

饱的时候自然不想吃大鱼大肉了；饿的时候，粗茶淡饭也会感到满足。

经典故事

苏轼理财

苏轼不仅写得一手好文章，位列“唐宋把大家”之一，而且还以“勤俭节约”著称。

苏轼被贬官到黄州时，生活比较拮据，在朋友的帮助下，弄到了一块地，自己耕种。为了不乱花一文钱，他先把所有的钱计算出来，然后平均分成十二份，每月用一份，每份中又平均分成三十小份，每天只用一小份，不该买的东西，他坚决不买。如有剩余，他也会攒起来，用来招待朋友或者以备意外之需。虽然日子很清苦，但是花钱有计划，苏家几十口人终于顺利熬过了这段艰苦的日子。

常言道：不怕饿死，就怕算不到。只有懂得节约的人，才是真正懂得生活的能人，在我们当今这个时代，物质生活极大丰富，更应该注重节约。简朴的生活，是名副其实的“低碳生活”，不仅使人充实、健康、朴素，而且可以腾挪出更多的时间用于工作和学习。

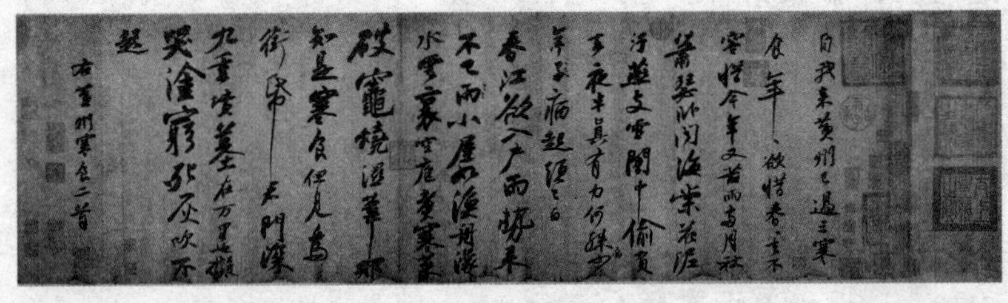

黄州寒食帖

知识链接

糟糠之妻

东汉初年大司马宋弘，为人正直，做官清廉，对皇上直言敢谏。光武帝刘秀对他甚为信任和器重，封他为宣平侯。光武帝的姐姐湖阳公主新寡后，刘秀有意将她嫁给宋弘，刘秀对宋弘说：“俗话说，高贵了就忘掉了交情，富有了想另娶妻子，这是人之常情。”宋弘一听，知道这句话另有意思，他答道：“微臣倒是听说，‘贫贱之交不可忘，糟糠之妻不下堂’。”听了这话，刘秀深被宋弘的为人所感动，不仅没有责怪他，反而对他更加器重。

思考讨论

你知道“饥不择食”吗？关于“舌尖上的浪费”你是怎么看的？平时如何做到不浪费粮食？

qīn qī gù jiù lǎo shào yì liáng
亲戚故旧[1]，老少异粮[2]。
qiè yù jì fǎng shì jīn wéi fáng
妾御绩纺[3]，侍巾帷房[4]。

本节写人际关系之间的礼仪。

注释

[1]故旧：故友旧识的简称，也就是老朋友、老相识。[2]异：不同的。 [3]妾：这里指妻、妾和婢女。御：管理。绩纺：泛指纺线织布等事。 [4]侍：服侍。巾：头巾，这里泛指衣帽。帷房：自己的寝房内室。

要旨

亲戚、朋友会面要盛情款待，老人和小孩的食物应和自己不同。

妻妾和婢女们应做好家务，尽心服侍好主人。

经典故事

内助之贤

晏婴，字平仲，人称晏子，春秋时齐国人，历任齐灵公、齐庄公、齐景公三朝的相国，以节俭、身体力行而为齐国人所尊重。

晏婴为齐景公的宰相时，有一天，晏婴出门，他的马车刚好经过马车夫的家，车夫的妻子从门缝偷看她的丈夫。她的丈夫坐在华丽的车盖下，赶着马车，神气活现，得意洋洋，一副骄傲自满的样子。

车夫回家时，妻子请求离开。车夫问为什么，妻子说："晏子身高不到六尺长，却当了齐国的宰相，名闻天下，各国的诸侯都知道他，敬仰他。今天我看到他志虑深远，不时有着谦虚的神情。你身高八尺，只是人家的车夫，却自鸣得意，这是浅薄的表现呀，我感到很羞愧，这就是我要离开你的原因。”

车夫听了妻子的话，惭愧地低下了头。他诚恳地对妻子说：“你批评得很对，请你相信我，我一定会改正的。”从此以后，车夫驾车时的神情改变了，处处显得谦虚谨慎。晏子观察到车夫的变化，觉得奇怪，就问他原因何在，车夫如实相告。

晏婴欣赏他听到劝告能够马上改过的精神，认为他是一个值得任用的人，于是推荐他当了齐国的大夫。

从这则故事引申而来的成语“内助之贤”，被用来称赞家有贤淑的妻子。

知识链接

古代的称谓

中国古代由于家庭与家族成员比较多，彼此的称谓也很多，这里举几个例子，大家可以了解一下。

父母：自称孝男某名。对他人称自己已故父母为先父、先母。

祖父母：自称孙某名。对他人称自己已故祖父母为先祖考、先祖妣。

祖父的父亲：称曾祖，自称曾孙某名。

祖父的胞兄弟：称伯叔祖大人，自称侄孙或又孙。

父亲的兄弟：称伯父、叔父大人，自称脉侄。

父亲的兄弟的妻子：称伯母、叔母，自称脉侄。

兄长的妻子：称尊嫂，自称夫弟。嫂嫂回称夫弟为贤叔，自称愚嫂。

弟弟的妻子：称贤弟妇，自称夫兄。弟妇回称尊伯，自称愚弟妇。

师生之间也有特别的称谓。

业师：称老师，自称受业或学生。

师之妻：称师母，自称学生。

业师之父：称太老师大人，自称门下晚生。

业师之母：称师太母，自称门下晚生。

朋友：称仁兄，自称愚弟。同门为朋，同志为友。

同乡：称仁兄，自称乡愚弟。

同学：称学兄、砚兄，自称学弟。

同庚（年龄相同）：称庚兄，自称庚愚弟。

思考讨论

回想一下爸爸妈妈是否曾经将好吃的东西让给你？你有没有把好吃的东西让给他们呢？

wán shàn yuán jié，yín zhú wěi huáng。
纨扇圆洁[1]，银烛炜煌[2]。
zhòu mián xī mèi，lán sǔn xiàng chuáng。
昼眠夕寐，蓝笋象床[3]。

本节写女子在家中的生活。

注释

[1] 纨：丝绢。　　[2] 银烛：银白色的火烛之光。炜煌：明亮。　　[3] 蓝笋：青竹编的席子。象床：象牙装饰的床。

要旨

绢制的团扇像满月一样又白又圆，银白色的火烛之光明亮辉煌。

白天小憩，晚上安寝，睡在青竹编的席子和象牙装饰的床上。

经典故事

诸葛亮羽毛扇的来历

诸葛亮摇着的羽扇可说无人不晓，但这羽扇从哪儿来，就鲜为人知了。

诸葛亮于汉灵帝光和四年（181），出生于琅琊郡阳都县一个官吏之家。后来，诸葛亮随叔父逃乱到襄阳，结草庐而居，躬耕苦读。诸葛亮仰慕才女黄硕，就想求见结交。不料被黄硕的父亲黄承彦挡在门外，骗诸葛亮说女儿很丑，可诸葛亮不以为意，经过一系列的考验终于被同意进门。

诸葛亮离开时，黄硕送了他一把精致的羽毛扇。黄硕问道："你知道我送你这把扇子的含义吗？"诸葛亮说："礼轻情意重。"黄硕说："不全是，刚才你和家父畅谈的时候，我在旁边观察你，你谈到不同的人就有不同的表现，比如谈到刘备请你出山你就眉飞色舞，而谈到曹操你就眉头紧锁。大丈夫做事要沉得住气，喜怒不形于色，所以我送你这把扇子是用来遮面的。”这一番话说得诸葛亮五体投地。后来诸葛亮随身携带这把扇子，时刻提醒自己遇事要从容。

其实，黄硕不但知识广博，而且并不丑陋。相传诸葛亮发明木牛流马，就是根据黄硕传授的技巧发明出来的。还有为避瘴气而发明的“诸葛行军散”、“卧龙丹”，也是聪明的黄硕教给他的。

知识链接

古代关于“睡觉”的字词

现代汉语中常说的“睡觉”，即指已经进入睡眠状态。古代“睡”与“觉”分别是两个词。睡，是指坐着打瞌睡；觉，有两音，读 jué，是指省悟、发觉、启发、使觉悟；读 jiào，指的是睡醒的意思。

古代与睡有关的字还有瞑（眠）、寝、卧、寤、寐、醒等。

瞑（眠）：古代指闭上眼睛，但不一定睡着。

寝：古代指躺在床上休息，不一定睡着；现代汉语则指睡觉。

卧：古代指人伏在几案上休息，眼睛呈竖立形。现代汉语则指躺下。

寐：古代指睡着。

寤：古代指睡醒了，通“悟”，理解、明白之义。

醒：本义是“酒醒”，后来延伸为睡眠状态结束或尚未睡着。

思考讨论

“银烛炜煌”是古代富贵人家的生活，你知道古代普通人家晚上都用什么方法照明呢？

xián gē jiǔ yàn jiē bēi jǔ shāng

弦歌酒宴[1]，接杯举觞[2]。

jiǎo shǒu dùn zú yuè yù qiě kāng

矫手顿足[3]，悦豫且康[4]。

本节写宴饮之乐。

注释

[1]弦歌：鼓弦而歌。　[2]觞：酒杯。　[3]矫：高举。顿足：以脚跺地，随着音乐的节拍跺脚。　[4]悦豫：愉悦。豫，心里舒适、安乐。康：康乐，身心康泰。

要旨

盛大的宴会伴随着歌舞弹唱，人们高举酒杯，开怀畅饮。人们情不自禁地手舞足蹈起来，身心愉悦。

经典故事

兰亭集会

在古代，农历三月三是上巳（sì）节，人们要举行修禊

（xì）之礼（在水边沐浴，以除不祥），除此之外，还组织踏青、临水宴宾等活动。公元 353 年的上巳节，注定将被载入史册。

这天早晨，天气晴朗，和风习习 。王羲之和好友孙绰、谢安以及儿子王徽之、王献之等四十多人来到了会稽（kuài jī）郡山阴县的兰亭，玩起了“流觞曲水”的游戏。

所谓“流觞曲水”，是旧时的一种饮宴风俗，其方法是把盛满酒的杯子放在流水的上游，任其漂流而下，杯子停在谁的面前，谁就取而饮之。如此循环往复，直到尽兴为止。

众人纷纷在水渠边选好位置，坐了下来，有人早把酒杯漂到了水上，虽然没有管弦之乐助兴，但众人饮酒赋诗，也让人非常兴奋。“大伙共写了三十七首诗，”有人说，“咱们编个集子，留个纪念，让逸少先生再作个序。”

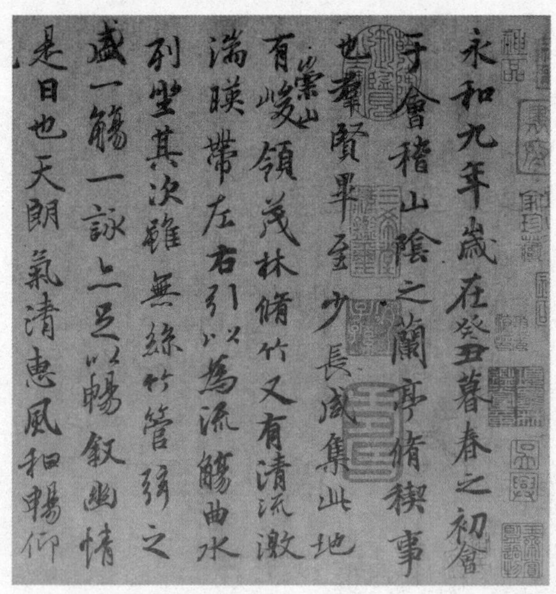

兰亭序（局部）

"好，笔墨伺候！"王羲之当时已喝了几杯酒，兴致很高，只见他走到一张石桌前，铺好纸张，挥毫泼墨。很快，序就写好了。那娴熟的笔法，宛若游龙的神韵，纯美的文句，让在场的人惊呆了！从此，《兰亭序》成了我国书法史上最为亮丽的一笔，被誉为"天下第一行书"。

知识链接

王羲之与王献之

王羲之、王献之父子是东晋著名的书法家，被称为"二王"。王羲之被后人尊为"书圣"。王献之是王羲之的第七个儿子，自幼聪明好学，是魏晋书家群体中的一位巨子。父亲王羲之的悉心传授和指导，使他奠定了坚实的笔法基础。他兼精楷、行、草、隶各体，尤以行草擅名。楷书以《洛神赋十三行》为代表，行书以《鸭头丸帖》最著，草书名作《中秋帖》被列为清内府"三希帖"之一。

思考讨论

你有学习书法吗？你的伙伴中有练习书法的吗？一起欣赏书法作品吧！

dí hòu sì xù jì sì zhēng cháng
嫡后嗣续[1]，祭祀蒸尝[2]。
qǐ sǎng zài bài sǒng jù kǒng huáng
稽颡再拜[3]，悚惧恐惶[4]。

本节写关于祭祀时的礼仪。

注释

[1] 嫡：正妻所生的长子。后：承继祖宗血脉的后代。嗣：后代子孙。 [2] 祭祀：对佛或祖先行礼，表示崇敬并祈求保佑。蒸尝：指冬秋祭祀。 [3] 稽颡：屈膝下拜，以额触地的一种跪拜礼，表示极度的虔诚和感谢。颡，额头。 [4] 悚惧：害怕。恐惶：恐惧不安。

要旨

子孙一代代继承祖先基业，秋冬两季的祭祀大礼不能疏忘。

跪着磕头，拜了又拜，礼仪要虔诚恭敬，心情要悲痛恐惧。

经典故事

寒食节的来历

相传春秋战国时期，介子推为了救病重的公子重耳，从自己的大腿上割下一块肉，熬成汤，谎称麻雀汤让重耳喝了，最终使他恢复了精神。重耳知道自己吃的是介子推的大腿肉后，非常感动，决定报答介子推。

十九年后，重耳回国做了君主，他就是著名的春秋五霸之一——晋文公。即位后，他重奖赏了当初伴随他流亡的功臣，唯独忘了介子推。经过大臣的提醒，他猛然忆起往事，心中有愧，马上派人去请介子推上朝受封赏。然而，介子推最鄙视那些争功讨赏的人，请了几趟都不来。晋文公亲自去请，只见大门紧闭，介子推已经背着母亲躲进了绵山。

晋文公下令搜索绵山，没有找到，最后想用火烧山的办法让介子推自己出来，可大火烧了三天三夜也不见介子推的踪影。火熄灭后，人们才发现介子推与母亲烧死在一颗柳树下。为了纪念介子推，晋文公下令把绵山改为介山，在山上建立祠堂，并把放火烧山的这一天定为寒食节，规定每年的这一天都禁忌烟火，只能吃寒食。

第二年，晋文公素服祭奠，见老柳树抽出了新的绿枝，便把复活的老柳树赐名为“清明柳”，并且晓谕天下把寒食节的后一天定为清明节。

知识链接

祭　祀

祭祀是华夏礼典的一部分，更是儒教礼仪中最重要的部分。祭祀对象分为三类:天神、地祇（qí)、人鬼。天神称祀，地祇称祭,宗庙称享。古代中国“神不歆非类,民不祀非族”，祭祀有严格的等级界限。天神地祇只能由天子祭祀，诸侯大夫可以祭祀山川，士庶则只能祭祀自己的祖先和灶神。清明节、寒食节、端午节、中元节、重阳节是祭祖日。祭祖也是汉人宣告自己为炎黄子孙最直接的方式。

思考讨论

我国古代“牺牲”与祭祀活动有关，它是什么意思呢？先想想这两个字偏旁和什么有关，然后再查一查字典。

jiān dié jiǎn yào　gù dá shěn xiáng
笺牒简要[1]，顾答审详[2]。

hái gòu xiǎng yù　zhí rè yuàn liáng
骸垢想浴[3]，执热愿凉[4]。

本节写关于应酬之方和沐浴等人之常情。

注释

[1] 笺牒：书信的代称。笺，书信。牒，公文。简要：简明扼要。　[2] 顾：回顾。答：答复、对答。审详：审慎周详。　[3] 骸：身体。垢：污秽。浴：洗浴。　[4] 执：拿着。愿：想。

要旨

给人写信时要简明扼要，回答别人问题时要详细周全。

身上有了污垢就想洗澡，就像手拿着烫的东西就希望有风把它吹凉。

经典故事

奔马杀犬

欧阳修修史讲究言语简练。有一次，他跟翰林院的几位同僚外出游玩，正走在路上，忽然前方有一匹马狂奔过来，行人们纷纷躲避，欧阳修等人也跟着躲在一旁。有条老狗躺在路上晒太阳，躲避不及，被奔马踩个正着，不幸被踩死。欧阳修和朋友们都是写文记事的好手，大家各自叙述这件事。欧阳修对同僚们说："大家不妨描述一下刚才这件事吧。"有位先生就从狗的角度说："有犬卧于通衢，逸马蹄而杀之。"另一位先生则从马的角度说："有马逸于街衢，卧犬遭之而毙。"

欧阳修笑了笑，说："司马迁写《史记》，不过一百三十篇，要是照各位这个写法，只怕万卷也打不住呢！"几位朋友问欧阳修说："你是大手笔，你说如何写这件事？"

欧阳修说："逸马杀犬于道，这就可以啦。"他仅用六个字便说清楚了这件事，朋友们相视一笑，都称赞欧阳修用词精炼。

知识链接

古代书信的别称

古代"书"不同于"信"，"信"在古代有使者的意思，"书"即我们现在所说的"书信"。现代汉语中"书"仍旧保留了"书信"的意思，如"家书"等。

古代“书信”一词有很多其他的说法。

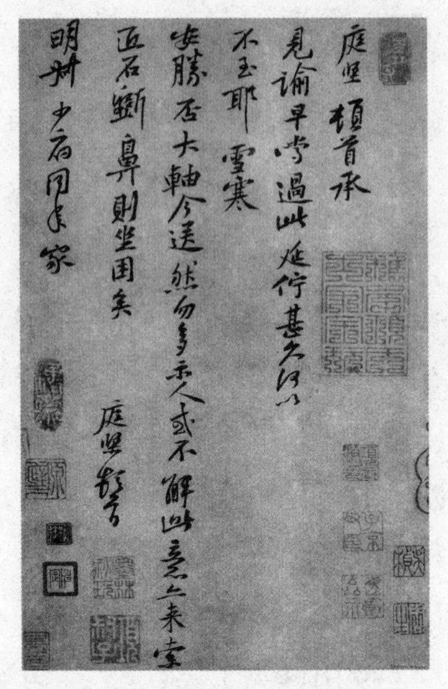
古代尺牍

尺牍：古代用于书写的薄而小的木片称为牍。

柬：古代“柬”与“简”通用，是信件、名片、帖子的总称。如请柬、书柬等。

尺素：古代称白绢为素，以白绢为材料写成的书信称为尺素。

笺：原指精美的小竹片，以供人们题诗或作画。一般信纸也叫笺，后引申为书信的代称。

函：原意指信的封套。古代寄信用木匣子邮递，这种匣子叫函。后来就称信件为函，如函件、来函、公函等。

思考讨论

小朋友，你记得学校通知是怎样写的吗？尝试着写一则通知吧。

lǘ luó dú tè hài yuè chāo xiāng
驴骡犊特[1]，骇跃超骧[2]。

zhū zhǎn zéi dào bǔ huò pàn wáng
诛斩贼盗[3]，捕获叛亡[4]。

本节写要严惩盗贼，捕捉逃犯。

注释

[1]驴骡犊特：泛指家中的大小牲畜。骡，骡子。犊，小牛，泛指牛。特，公牛。 [2]骇：惊骇，受到惊吓。超：一个跳到另一个前面去。骧：腾跃不已。 [3]诛斩：杀戮。诛，本义是声讨、谴责，引申义为诛灭、剪除。贼盗：就是盗贼，偷盗和抢劫的人。 [4]捕获：捉到。叛：背叛。亡：逃亡。

要旨

家里有了灾祸，驴子、骡子等大小牲口都会受惊，它们狂奔乱跳，东奔西跑。

官府要严厉惩罚盗贼，捕获叛乱分子和亡命之徒。

经典故事

区寄智斩强盗

郴州城外的小镇上有个小男孩名叫区（ōu）寄，他虽然才十一岁，可很懂事。这天，就在他卖完柴，帮着爸爸拉着空车回家的时候，殊不知已被两个强盗暗暗盯上了。

第二天，区寄上山砍柴，被身后树林里的一高一矮两个强盗抓住。小镇上有个专卖孩子的黑市场，他们要将区寄押去卖个大价钱。

路上走了没一会儿，强盗俩大吃大喝，都喝醉了，其中高个子前去探路，而矮个子呼呼地睡着了。区寄想办法把手上的绳子割断，然后用尖刀狠命地刺向矮个子。就在他转身逃走时，高个子强盗回来了，区寄急中生智，不慌不忙地说："大叔，他刚刚死命地打我，要我跟着他逃到别处去，我不肯，这才杀了他。现在，我归你一个人了，难道还不好吗？"这番表白，倒使高个子强盗动心了。天黑后他俩在一间破房子里住下，高个子睡得很沉。区寄将反绑着的双手伸向那微弱的火苗，忍着钻心的疼痛才挣脱出来。他拿起尖刀，刺死了强盗，然后跑出屋子，大声叫喊起来："来人哪！来人哪，捉强盗呀——"不久，便围上来好几百人，区寄将他刺杀强盗的经过一五一十讲给大家听，大家都称赞他的勇敢。村民们送给他一块刻着"少年英雄"四个大字的匾额，挂到他家的门楣上。

知识链接

路不拾遗　夜不闭户

"路不拾遗，夜不闭户"是中国古人向往的太平盛世。唐太宗李世民励精图治，朝廷上下与全国百姓齐心协力，经过多年的努力，形成了这样的社会风气，史称"贞观之治"。

据史书记载：有一天，李世民与大臣们讨论怎样禁止盗贼。有人建议使用严酷的法律来制止。李世民微笑着说："老百姓之所以去做盗贼，是由于赋税太多，劳役、兵役太重，官吏们又贪得无厌，老百姓吃不饱，穿不暖，这是切身的问题，所以也就顾不得廉耻了。我们应当去掉奢侈，节省开支，减轻徭役，少收赋税，选拔和任用廉洁的官吏，使老百姓穿的吃的都有富余。那么，他们自然就不会去做盗贼了，何必要用严厉的刑法呢？"从此以后，过了几年，天下太平，没有人把别人掉在路上的东西据为己有，老百姓晚上睡觉家里的大门都可以不关，商人和旅客露宿也不会遇到偷盗、抢劫的人。

思考讨论

动物的感觉比人类敏锐得多，例如狗嗅觉灵敏，人们就训练警犬协助破案。你还知道哪些呢？与小伙伴们交流一下吧。

bù shè liáo wán jī qín ruǎn xiào
布 射 僚 丸[1]，嵇 琴 阮 啸[2]。

tián bǐ lún zhǐ jūn qiǎo rén diào
恬 笔 伦 纸[3]，钧 巧 任 钓[4]。

本节写便利精巧器用的使用与发明。

注释

[1] 布射：汉末名将吕布射箭的故事。僚丸：楚、宋战

争之际，楚国人熊宜僚在阵前表演弹丸，分散宋军注意力，楚军趁机打败宋军。 [2] 嵇琴：指西晋名士嵇康，擅长弹琴。阮啸：指西晋文学家阮籍，博览群书，尤好老庄，善于长啸。 [3] 恬：指秦朝大将蒙恬，据说是他发明了毛笔。伦：指东汉蔡伦，他发明了造纸术。 [4] 钧：三国时的马钧发明了马车。任：指《庄子》里提到的任公子，曾钓到一条巨大无比的鱼。

要旨

吕布擅长射箭，宜僚善玩弹丸；嵇康善于弹琴，阮籍善于长啸。

蒙恬造出了毛笔，蔡伦发明了造纸术；马钧巧制水车，任公子善于垂钓大鱼。

经典故事

马钧研制“机器人”

马钧，字德衡，三国时期魏国人，是我国古代科技史上伟大的发明家之一，被人誉为“天下名巧”。

当时，有人进献一种百戏模型给魏明帝，这种“百戏图”造型精美，唯一的缺陷就是不能活动。奸臣高堂隆想陷害马钧，就凑到魏明帝跟前说：“马钧心灵手巧，陛下何不下旨，让他使这套木偶活动起来呢？”魏明帝听了很是高兴，立即下诏。马钧接下“百戏图”，经过几天的琢磨研究，心中已有了谱。他重新雕刻了木人，暗中设下机关，利用水力让它们活动。活动的“百戏图”，叫“水转百戏图”，只要把机关一开，木偶乐工们立即击鼓吹箫，歌女木偶们翩翩起舞，木偶杂技的表演更是精彩，有的叠罗汉，有的翻滚、抛球，有的在绳索上做惊险的动作，表演变化多端，惟妙惟肖，极为生动有趣。

马钧同样关心农业生产，他创造出“翻车”这种工具，将河水引向上坡的田地，极大地方便水利灌溉。翻车在我国一直被广泛地使用,特别是在江南地区,直到今天还可以见到。

知识链接

古　琴

古琴，也称瑶琴、玉琴、七弦琴，是中国最古老的弹拨乐器之一。古琴有文字可考的历史有四千余年，据《史记》记载，琴的出现不晚于尧舜时期。春秋时期古琴就已经盛行全国，成为文人的必修乐器。20 世纪初，为区别西方乐器，便在“琴”的前面加上“古”字。“古琴”至今依然鸣响在书斋中、舞台上。古琴曲调神圣高雅，坦荡超逸，古人用它来抒发情感，寄托理想。当代著名的古琴曲有《高山流水》、《梅花三弄》等。

古琴远远超越了音乐的意义，成为中国文化和理想人格的象征。

思考讨论

制造毛笔，发明水车的人，分别是谁呢？我国古代四大发明除造纸术外，另外三大发明分别是什么？

shì fēn lì sú，bìng jiē jiā miào。
释纷利俗[1]，并皆佳妙。
máo shī shū zī，gōng pín yán xiào。
毛施淑姿[2]，工颦妍笑[3]。

本节写创造发明的重要性和女子容貌之美。

注释

[1] 释：消除，消散。纷：纠纷。利：便利。俗：百姓。[2] 毛：毛嫱，春秋时期的美女。施：西施，春秋时期的美女。淑姿：姿容姣美。淑，美丽。姿，仪态，姿容。　[3] 工：擅长。颦：皱眉。妍：美貌。笑：笑靥。

要旨

他们有的为人解决纠纷，有的造福百姓，都高明巧妙，为人称道。

毛嫱、西施仪容娇美，笑靥如花，连皱眉也很好看。

经典故事

东施效颦

西施是我国古代四大美女之一，春秋时期越国人，她长得非常美丽，一举一动都十分惹人喜爱。

西施患有心口疼的毛病，所以走路的时候捂着胸口，可即使这样，众人仍夸西施别有一番风韵。

东施是一位丑女，一直想模仿西施。这天，她看到西施捂着胸口、皱着双眉的样子竟博得这么多人的青睐，于是回去以后，她也学着西施的样子，手捂胸口，皱着眉头，在村里走来走去。哪知人们见了她就像见了瘟神，要么紧紧关门，要么拉着家人远远地躲开。

东施只知道西施皱眉的样子很美，却不知道她为什么皱眉，只是简单模仿她的样子，结果反遭人讥笑。这个故事记载在《庄子》一书中，“东施效颦”的成语就是由此而来的。人们常用它比喻那些不了解人家真正长处，只是简单地模仿别人、结果却适得其反的人。

爱美之心人皆有之，东施效颦也无可厚非，但爱美不能流于表面形式，而要扬长避短，把自己独特的魅力展示给世人。单纯的模仿只不过是“照着葫芦画瓢”，仅仅学到了皮毛，不仅没什么帮助，反而会弄巧成拙、适得其反。

知识链接

沉鱼落雁

沉鱼落雁最早见《庄子·齐物论》："毛嫱、丽姬，人之所美也；鱼见之深入，鸟见之高飞，麋鹿见之决骤，四者孰知天下之正色哉？"翻译过来就是毛嫱和丽姬是人们认为的绝色美女，可是鱼儿见了她们会潜入深水处，鸟儿见了她们会赶紧飞向高空，麋鹿见了会吓得跑开。庄子的原意是说，美丑的标准是主观的，并没有统一的固定的标准。

随着历史的发展，"沉鱼落雁"渐渐用来形容女子容貌美丽。传统上就把"沉鱼落雁"和"闭月羞花"并用，指代中国历史上的四大美人，沉鱼是春秋时期的西施，落雁是西汉的王昭君，闭月是东汉末年的貂蝉，羞花是唐代的杨贵妃。

思考讨论

当看到他人比我们优秀时，我们要虚心向他人学习。我们应该怎么向他人学习呢？

nián shǐ měi cuī, xī huī lǎng yào
年矢每催[1]，曦晖朗曜[2]。

xuán jī xuán wò, huì pò huán zhào
璇玑悬斡[3]，晦魄环照[4]。

zhī xīn xiū hù, yǒng suí jí shào
指薪修祜[5]，永绥吉劭[6]。

本节写要珍惜时光，勤奋不已，美德要薪火相传。

注释

[1]年矢：指光阴似箭。矢，箭。每：频频。催：催促，使人赶快行动。　[2]曦：阳光。朗：明亮。曜：照耀。[3]璇玑:北斗七星中的两颗星,泛指北斗星。悬:悬挂、悬吊。斡：转动。　[4]晦：夜晚。魄：月亮的微光。环：循环。[5]指薪:即薪火相传。指，同“脂”。祜:福分。　[6]绥：安宁。劭：美好。

要旨

只可惜青春易逝，岁月匆匆催人老，只有太阳的光辉永远朗照。

高悬的北斗随四季变换而转动，明亮的月光洒遍人间每个角落。

行善积德才能像薪尽火传那样精神长存，子孙长久安康需要长辈留下吉祥的忠告。

经典故事

郑板桥的家教

郑板桥是清代著名的书画家、诗人，他到五十二岁时才得一子,起名郑麟。为了把儿子培养成有用的人,他非常注意教育方式。

“娇子如杀子”,这是多少人用血泪换取的经验教训。常年在外的郑板桥听说郑麟喜欢炫耀，并且还欺侮佣人家的孩

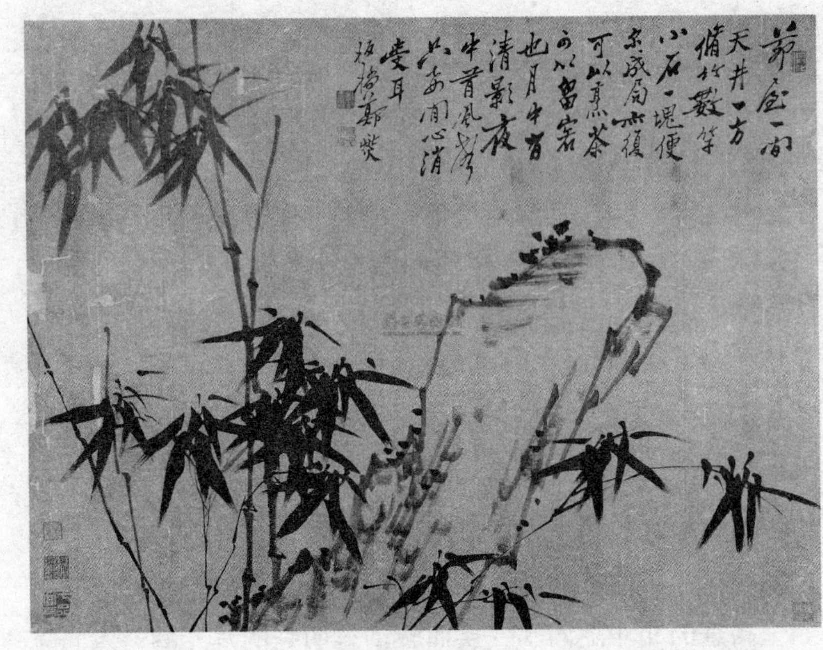

郑板桥字画

子，郑板桥立即写信给弟弟郑墨，要求他对郑麟严加管教。

郑麟十二岁时，郑板桥叫儿子用小桶挑水，天热天冷都要挑满，不能间断。由于父亲的言传身教，郑麟进步很快。郑板桥临终前，还让儿子亲手做几个馒头端到床前。他给儿子的遗言是：“流自己的汗，吃自己的饭，自己的事自己干，靠天靠人靠祖宗不算好汉。”这则遗言是郑板桥对子女的嘱咐，也是他对子女教育经验的总结和概括。

今天生活越来越好，我们一定要学会自理、自强、自立，拒绝衣来伸手、饭来张口的寄生生活，享受要适可而止，把精力集中到更有意义的事情上，发挥自己的才智。

知识链接

北斗星

北斗星由天枢、天璇、天玑、天权、玉衡、开阳、摇光七星组成，这七颗星排列起来像古代舀酒的斗形。前四颗星组成斗身，古曰魁；后三颗星组成斗柄，古曰杓。斗柄在不同的季节指向不同，所以古人就根据斗柄的方向来判断季节：斗柄指东，天下皆春；斗柄指南，天下皆夏；斗柄指西，天下皆秋；斗柄指北，天下皆冬。

思考讨论

和爸爸妈妈一起读“郑板桥家教”的故事，你认为爸爸妈妈对你的家教是什么呢？

jǔ bù yǐn lǐng fǔ yǎng láng miào

矩步引领[1]，俯仰廊庙[2]。

shù dài jīn zhuāng pái huái zhān tiào

束带矜庄[3]，徘徊瞻眺[4]。

本节写要注意仪表举止，并描述呈献《千字文》时忐忑的心情。

注释

[1]矩步：走路步法端正，符合规矩。引领：伸长脖子，

这里指抬头前行。领，脖子。这句相当于现在的“昂首阔步”，代表了一个人心胸坦荡无欺，行为正大光明。 [2] 俯仰：抬头和低头，一举一动。廊庙：庙堂，指朝廷。 [3] 束带：装束、整饰衣冠。矜庄：矜持庄重。 [4] 徘徊：作者形容自己等待呈献《千字文》时忐忑紧张的样子，实际是谦词。瞻眺：仰视。

要旨

端正步伐，抬头前行，一举一动都像在朝廷上一样仪表庄重。

衣冠整齐端庄，举止从容地远远观望。

经典故事

季札挂剑

鲁襄公二十九年（前 544），吴国季札出使鲁国，当他进入徐国地界时，看到徐国人民安居乐业，五谷丰茂，于是决定拜见徐君以倾吐仰慕之情。徐君得知素有贤名的吴国贵公子季札来访，心中特别高兴，盛情相待。交谈中，徐君看到季札身佩的宝剑，非常喜爱，几次欲言，又不便启齿。季札从徐君的举止神态上，看出了他的心思，欲将宝剑赠送给徐君，但转念一想，佩带宝剑出使别国，这是一种礼节，现出使鲁国，没有宝剑怎么行呢？季札在心里许诺：待从鲁国回来，一定把剑赠送给徐君。

季札出使返回时又经过徐国，决定再次拜访徐君，并将宝剑赠送给他。但当他来到徐国，听说徐君已经去世时，他感到非常悲痛与后悔，便将宝剑赠给徐国嗣君，可嗣君不接受。季札说："我上次未赠，是因为出使需要，但心中已将宝剑默默地许给了徐君。怎么能因为徐君不在，就违背自己原来的心意呢？再说，作为一个吴国的使臣，不讲信用，邻国会如何看待我们吴国呢？"因徐国嗣君坚持不受，季札即将宝剑挂在徐君墓前的柳树上，黯然离开。

自古以来，圣贤一再教诲我们，高迈的志节往往表现于内心之中。就像季札，他并没有因为徐君的过世而违背做人应有的诚信，何况他的允诺只是发于内心之中，这种"信"到极处的行为，令后人无比崇敬与感动，可谓"大信不约"。

知识链接

汉 服

有华章之美谓之华，有礼仪之大故称夏，衣冠文物是华夏文明的重要组成部分，其中最璀璨的一颗明珠就是汉服。汉服，是汉族传统服饰，是自三皇五帝时期一直到明代末年，一系列服饰的总称，清代初期被废止。汉服的主要特点是交领右衽，宽袖博带，大气飘逸，尽显大国风范，对朝鲜、日本、越南等国家的服饰产生过深远影响。

思考讨论

关于仪表举止，你的看法是怎样的？在什么情况下要特别注意仪表举止呢？与伙伴们讨论一下吧。

gū lòu guǎ wén yú méng děng qiào
孤陋寡闻[1]，愚蒙等诮[2]。
wèi yǔ zhù zhě yān zāi hū yě
谓语助者[3]，焉哉乎也[4]。

本节是《千字文》作者周兴嗣自谦之辞，并以语气助词结束全文。

注释

[1] 孤陋寡闻：学识浅薄、见闻有限之意。 [2] 愚：愚昧无知、顽钝蠢笨。蒙：糊涂。诮：讥笑、讽刺。 [3] 谓：所谓的。 [4] 焉哉乎也：周兴嗣以语气助词结束全文，并说自己孤陋寡闻，学识不够。一方面是因为《千字文》是奉召而写，必须谦虚恭敬；另一方面又将四个文言虚词自然地嵌入文中，构思可谓巧妙。

要旨

我学识浅薄，见闻有限；愚昧糊涂，让后人讥讽。

我的学识，也只是知道“焉”、“哉”、“乎”、“也”这几个语气助词罢了。

经典故事

巧用虚词骂叛臣

在古代汉语里，之、乎、者、也、焉、矣、哉等都是虚词。所谓虚词，是说词本身没有实际意义，虚词因为“虚”，往往被人们所忽视。其实，在特定的语句里，如果能恰当运用虚词，往往会收到“四两拨千斤”的功效。

崇祯皇帝在位的时候，洪承畴任兵部尚书，他常常以忠节自命，他的厅堂上挂着“君恩深似海，臣节重如山”的对联，以此表明对君国的忠贞。

后来，洪承畴被清帝授为武英殿大学士，当了清朝的大官。有一年春节，他把那副“君恩深似海，臣节重如山”的对联贴在临街的大门上，以表示对新主子的忠诚。有人鄙视这个变节的叛徒，便在洪联上下句尾各添上一个虚词：“君恩深似海矣，臣节重如山乎。”于是，这副对联的意思全变了。一个“矣”字，感慨万端：你受明朝君王之恩似海深啊！一个“乎”字，提出质问：你的节操真像山那样不可动摇吗？嘲讽的意味可谓辛辣有力，入木三分。

知识链接

一千个不重复的汉字

用一千个不重复的汉字组成一篇千字韵文，这是《千字文》名称的由来，但细心的读者会发现，今日所见到的《千

字文》有六个字是重复的，分别为“洁、发、巨、昆、戚、云”。这是因为繁体字转为简体字后，絜、潔并为“洁”，發、髮并为“发”，巨、鉅并为“巨”，崑、昆 并为“昆”，慼、戚并为“戚”，雲、云并为“云”。

思考讨论

《千字文》到此就学完了，你还有哪些不清楚的问题吗？不妨虚心向老师与伙伴请教吧。

附　录

《千字文》全文

天人自然

tiān dì xuán huáng，yǔ zhòu hóng huāng。
天地玄黄，宇宙洪荒。

rì yuè yíng zè，chén xiù liè zhāng。
日月盈昃，辰宿列张。

hán lái shǔ wǎng，qiū shōu dōng cáng。
寒来暑往，秋收冬藏。

rùn yú chéng suì，lǜ lǚ tiáo yáng。
闰余成岁，律吕调阳。

yún téng zhì yǔ，lù jié wéi shuāng。
云腾致雨，露结为霜。

jīn shēng lì shuǐ，yù chū kūn gāng。
金生丽水，玉出昆冈。

jiàn hào jù què，zhū chēng yè guāng。
剑号巨阙，珠称夜光。

guǒ zhēn lǐ nài，cài zhòng jiè jiāng。
果珍李柰，菜重芥姜。

hǎi xián hé dàn，lín qián yǔ xiáng。
海咸河淡，鳞潜羽翔。

lóng shī huǒ dì，niǎo guān rén huáng。
龙师火帝，鸟官人皇。

shǐ zhì wén zì，nǎi fú yī cháng。
始制文字，乃服衣裳。

tuī wèi ràng guó，yǒu yú táo táng。
推位让国，有虞陶唐。

diào mín fá zuì，zhōu fā yīn tāng。
吊民伐罪，周发殷汤。

zuò cháo wèn dào，chuí gǒng píng zhāng。
坐朝问道，垂拱平章。

ài yù lí shǒu，chén fú róng qiāng。
爱育黎首，臣伏戎羌。

xiá ěr yī tǐ，shuài bīn guī wáng。
遐迩一体，率宾归王。

míng fèng zài zhú，bái jū shí cháng。
鸣凤在竹，白驹食场。

huà pī cǎo mù，lài jí wàn fāng。
化被草木，赖及万方。

修身养性

gài cǐ shēn fà，sì dà wǔ cháng。
盖此身发，四大五常。

gōng wéi jū yǎng，qǐ gǎn huǐ shāng。
恭惟鞠养，岂敢毁伤。

nǚ mù zhēn jié，nán xiào cái liáng。
女慕贞洁，男效才良。

zhī guò bì gǎi，dé néng mò wàng。
知过必改，得能莫忘。

wǎng tán bǐ duǎn，mǐ shì jǐ cháng。
罔谈彼短，靡恃己长。

xìn shǐ kě fù，qì yù nán liáng。
信使可覆，器欲难量。

mò bēi sī rǎn，shī zàn gāo yáng。
墨悲丝染，诗赞羔羊。

jǐng xíng wéi xián，kè niàn zuò shèng。
景行维贤，克念作圣。

dé jiàn míng lì，xíng duān biǎo zhèng。
德建名立，形端表正。

kōng gǔ chuán shēng，xū táng xí tīng。
空谷传声，虚堂习听。

huò yīn è jī，fú yuán shàn qìng。
祸因恶积，福缘善庆。

chǐ bì fēi bǎo，cùn yīn shì jìng。
尺璧非宝，寸阴是竞。

zī fù shì jūn，yuē yán yǔ jìng。
资父事君，曰严与敬。

xiào dāng jié lì，zhōng zé jìn mìng。
孝当竭力，忠则尽命。

lín shēn lǚ bó，sù xīng wēn qìng。
临深履薄，夙兴温清。

sì lán sī xīn，rú sōng zhī shèng。
似兰斯馨，如松之盛。

chuān liú bù xī，yuān chéng qǔ yìng。
川流不息，渊澄取映。

róng zhǐ ruò sī，yán cí ān dìng。
容止若思，言辞安定。

dǔ chū chéng měi，shèn zhōng yí lìng。
笃初诚美，慎终宜令。

róng yè suǒ jī，jí shèn wú jìng。
荣业所基，籍甚无竟。

xué yōu dēng shì，shè zhí cóng zhèng。
学优登仕，摄职从政。

cún yǐ gān táng，qù ér yì yǒng。
存以甘棠，去而益咏。

yuè shū guì jiàn，lǐ bié zūn bēi。
乐殊贵贱，礼别尊卑。

shàng hé xià mù，fū chàng fù suí。
上和下睦，夫唱妇随。

wài shòu fù xùn，rù fèng mǔ yí。
外受傅训，入奉母仪。

zhū gū bó shū，yóu zǐ bǐ ní。
诸姑伯叔，犹子比儿。

kǒng huái xiōng dì，tóng qì lián zhī。
孔怀兄弟，同气连枝。

jiāo yǒu tóu fèn, qiē mó zhēn guī
交友投分，切磨箴规。

rén cí yǐn cè, zào cì fú lí
仁慈隐恻，造次弗离。

jié yì lián tuì, diān pèi fěi kuī
节义廉退，颠沛匪亏。

xìng jìng qíng yì, xīn dòng shén pí
性静情逸，心动神疲。

shǒu zhēn zhì mǎn, zhú wù yì yí
守真志满，逐物意移。

jiān chí yǎ cāo, hǎo jué zì mí
坚持雅操，好爵自縻。

帝都河山

dū yì huá xià, dōng xī èr jīng
都邑华夏，东西二京。

bèi máng miàn luò, fú wèi jù jīng
背邙面洛，浮渭据泾。

gōng diàn pán yù, lóu guàn fēi jīng
宫殿盘郁，楼观飞惊。

tú xiě qín shòu, huà cǎi xiān líng
图写禽兽，画彩仙灵。

bǐng shè páng qǐ, jiǎ zhàng duì yíng
丙舍傍启，甲帐对楹。

sì yán shè xí, gǔ sè chuī shēng
肆筵设席，鼓瑟吹笙。

shēng jiē nà bì, biàn zhuǎn yí xīng
升阶纳陛，弁转疑星。

yòu tōng guǎng nèi, zuǒ dá chéng míng
右通广内，左达承明。

jì jí fén diǎn, yì jù qún yīng
既集坟典，亦聚群英。

dù gǎo zhōng lì，qī shū bì jīng。
杜稿钟隶，漆书壁经。

fǔ luó jiàng xiàng，lù jiā huái qīng。
府罗将相，路侠槐卿。

hù fēng bā xiàn，jiā jǐ qiān bīng。
户封八县，家给千兵。

gāo guān péi niǎn，qū gǔ zhèn yīng。
高冠陪辇，驱毂振缨。

shì lù chǐ fù，chē jià féi qīng。
世禄侈富，车驾肥轻。

cè gōng mào shí，lè bēi kè míng。
策功茂实，勒碑刻铭。

pán xī yī yǐn，zuǒ shí ē héng。
磻溪伊尹，佐时阿衡。

yǎn zhái qū fù，wēi dàn shú yíng。
奄宅曲阜，微旦孰营。

huán gōng kuāng hé，jì ruò fú qīng。
桓公匡合，济弱扶倾。

qǐ huí hàn huì，yuè gǎn wǔ dīng。
绮回汉惠，说感武丁。

jùn yì mì wù，duō shì shí níng。
俊乂密勿，多士寔宁。

jìn chǔ gēng bà，zhào wèi kùn héng。
晋楚更霸，赵魏困横。

jiǎ tú miè guó，jiàn tǔ huì méng。
假途灭虢，践土会盟。

hé zūn yuē fǎ，hán bì fán xíng。
何遵约法，韩弊烦刑。

qǐ jiǎn pō mù，yòng jūn zuì jīng。
起翦颇牧，用军最精。

xuān wēi shā mò，chí yù dān qīng。
宣威沙漠，驰誉丹青。

jiǔ zhōu yǔ jì，bǎi jùn qín bìng。
九州禹迹，百郡秦并。

yuè zōng tài dài，shàn zhǔ yún tíng。
岳宗泰岱，禅主云亭。

yàn mén zǐ sài，jī tián chì chéng。
雁门紫塞，鸡田赤城。

kūn chí jié shí，jù yě dòng tíng。
昆池碣石，巨野洞庭。

kuàng yuǎn mián miǎo，yán xiù yǎo míng。
旷远绵邈，岩岫杳冥。

齐家治国

zhì běn yú nóng，wù zī jià sè。
治本于农，务兹稼穑。

chù zǎi nán mǔ，wǒ yì shǔ jì。
俶载南亩，我艺黍稷。

shuì shú gòng xīn，quàn shǎng chù zhì。
税熟贡新，劝赏黜陟。

mèng kē dūn sù，shǐ yú bǐng zhí。
孟轲敦素，史鱼秉直。

shù jī zhōng yōng，láo qiān jǐn chì。
庶几中庸，劳谦谨敕。

líng yīn chá lǐ，jiàn mào biàn sè。
聆音察理，鉴貌辨色。

yí jué jiā yóu，miǎn qí zhī zhí。
贻厥嘉猷，勉其祗植。

xǐng gōng jī jiè，chǒng zēng kàng jí。
省躬讥诫，宠增抗极。

dài rǔ jìn chǐ，lín gāo xìng jí。
殆辱近耻，林皋幸即。

liǎng shū jiàn jī，jiě zǔ shuí bī。
两疏见机，解组谁逼。

suǒ jū xián chǔ，chén mò jì liáo。
索居闲处，沉默寂寥。

qiú gǔ xún lùn, sàn lǜ xiāo yáo.
求古寻论，散虑逍遥。

xīn zòu lèi qiǎn, qī xiè huān zhāo.
欣奏累遣，戚谢欢招。

qú hé dì lì, yuán mǎng chōu tiáo.
渠荷的历，园莽抽条。

pí pá wǎn cuì, wú tóng zǎo diāo.
枇杷晚翠，梧桐蚤凋。

chén gēn wěi yì, luò yè piāo yáo.
陈根委翳，落叶飘摇。

yóu kūn dú yùn, líng mó jiàng xiāo.
游鹍独运，凌摩绛霄。

dān dú wán shì, yù mù náng xiāng.
耽读玩市，寓目囊箱。

yì yóu yōu wèi, zhǔ ěr yuán qiáng.
易𬨎攸畏，属耳垣墙。

jù shàn cān fàn, shì kǒu chōng cháng.
具膳餐饭，适口充肠。

bǎo yù pēng zǎi, jī yàn zāo kāng.
饱饫烹宰，饥厌糟糠。

qīn qī gù jiù, lǎo shào yì liáng.
亲戚故旧，老少异粮。

qiè yù jì fǎng, shì jīn wéi fáng.
妾御绩纺，侍巾帷房。

wán shàn yuán jié, yín zhú wěi huáng.
纨扇圆洁，银烛炜煌。

zhòu mián xī mèi, lán sǔn xiàng chuáng.
昼眠夕寐，蓝笋象床。

xián gē jiǔ yàn, jiē bēi jǔ shāng.
弦歌酒宴，接杯举觞。

jiǎo shǒu dùn zú, yuè yù qiě kāng.
矫手顿足，悦豫且康。

dí hòu sì xù, jì sì zhēng cháng.
嫡后嗣续，祭祀蒸尝。

qǐ sǎng zài bài, sǒng jù kǒng huáng.
稽颡再拜，悚惧恐惶。

jiān dié jiǎn yào, gù dá shěn xiáng.
笺牒简要，顾答审详。

hái gòu xiǎng yù, zhí rè yuàn liáng.
骸垢想浴，执热愿凉。

lǘ luó dú tè, hài yuè chāo xiāng.
驴骡犊特，骇跃超骧。

zhū zhǎn zéi dào, bǔ huò pàn wáng.
诛斩贼盗，捕获叛亡。

bù shè liáo wán, jī qín ruǎn xiào.
布射僚丸，嵇琴阮啸。

tián bǐ lún zhǐ, jūn qiǎo rén diào.
恬笔伦纸，钧巧任钓。

shì fēn lì sú, bìng jiē jiā miào.
释纷利俗，并皆佳妙。

máo shī shū zī, gōng pín yán xiào.
毛施淑姿，工颦妍笑。

nián shǐ měi cuī, xī huī lǎng yào.
年矢每催，曦晖朗曜。

xuán jī xuán wò, huì pò huán zhào.
璇玑悬斡，晦魄环照。

zhī xīn xiū hù, yǒng suí jí shào.
指薪修祜，永绥吉劭。

jǔ bù yǐn lǐng, fǔ yǎng láng miào.
矩步引领，俯仰廊庙。

shù dài jīn zhuāng, pái huái zhān tiào.
束带矜庄，徘徊瞻眺。

gū lòu guǎ wén, yú méng děng qiào.
孤陋寡闻，愚蒙等诮。

wèi yǔ zhù zhě, yān zāi hū yě.
谓语助者，焉哉乎也。

后 记

有一次，偶然看到某市小学一年级的语文课本中有贺知章的《回乡偶书》一诗："少小离家老大回，乡音无改鬓毛衰。儿童相见不相识，笑问客从何处来。""衰"字加了注音 shuāi。

衰，在此处应该读 cuī，在古义中有"等级次第的差别或依次递减"的意思，如《左传·桓公二年》："故天子建国，诸侯立家，卿置侧室，大夫有贰宗，士有隶子弟，庶人工商各有分亲，皆有等衰。"引申为减少、稀疏。结合贺知章的《回乡偶书》，这里"衰"的意思当指鬓毛减少、疏落，而不是衰老的意思。再从整首绝句的韵脚来看，"衰"字与首句"少小离家老大回"中的"回"和末句"笑问客从何处来"中的"来"，这三字在"诗韵"即"平水韵"中同属灰韵。

这些属于古代文化常识性的内容，过去龆龀蒙童均能脱口成韵，如今在专业教育出版社的小学语文教材中出现这样的差错，管窥一斑，不由得让人担忧。

读错一个字音尚是小事，倘若几代人不读"四书"、"五经"、唐诗、宋词……那中华民族真的就没有了灵魂。民族没有了精神内核，没有了灵魂，如何奢谈中华民族的伟大复兴？

我们承认现代教育将中国教育的视野引向更为广阔的国际空间，带来了许多新理念，给中国教育带来了活力。但是，如何在引入国际现代教育理念和现代教育方式的同时，坚守中国具有传承价值的优秀传统文化？如何在全面实施素质教育的同时，弘扬

中国文化特色以保持中国文化特有的气质？这是当前中国教育值得深入研究的问题之一。

梁启超先生曾言："吾不患外国学术思想之不输入，吾惟患本国学术之不发明。"然而，本国学术思想之发明非一代人可以成就，须"由其民族自身传递数世、数十世血液浇灌、精肉所培壅，而始得开此民族文化之花，结此民族文化之果"。要国民热爱中国的传统文化，必须本国先民的成就有其可爱之处，而且要发扬国民精神，也当从固有的精神中有所抉发。

秋霞圃书院自2010年开始筹划编撰一套适合大众普及尤其是中小学生使用的"国学基本教材"，自小学至高中每学期能有一册在手，通过以长期渐进、系统地熏陶、滋养，使中小学生在潜移默化中亲近中国的历史与文化，并使中华传统文化在当下的社会生活中"活化"。当然这种"活化"不是简单的复古，而是在当代的语境中重新梳理中华文明的脉络，从中汲取适应时代需要、社会需要，乃至适应工业文明与后工业文明需要的养料，提炼出中华传统文化的核心价值，以此来滋养一代又一代学子，为中华民族的伟大复兴奠定基础。当然，这些愿景断非一己之力能及，而是需要几代人的不懈努力，我们所起的作用仅仅是抛砖而已。国内儒学研究领军学者之一、武汉大学国学院院长郭齐勇教授听闻我们有此愿望后鼎力支持，欣然担任本套教材的总顾问，协调资源，并为之作序；武汉大学国学院院长助理孙劲松先生、向珂博士在筹组编者队伍时提供了真诚无私的帮助。此后又蒙秋霞圃书院院长、历史学家沈渭滨，语言学家李佐丰，古典文献学者骆玉明、汪涌豪、傅杰、徐志啸等教授在谋篇布局上的悉心指点，形成了本套"国学基本教材"的框架。确定框架之后，我们邀请了武汉大学、复旦大学、华东师范大学、南开大学、中国传媒大学、中山大学、内蒙古师范大学、陕西师范大学、南通大学等高校人文学科中青年学人和江浙沪地区几位优秀的中小学语文教师参与编写。

全书成稿后，沈渭滨、王家范、骆玉明、傅杰、汪涌豪、杨国强、张觉、张新科、徐志啸、鲍鹏山等教授审读了书稿，并提出了宝贵的修改意见；86岁高龄的书法名家章汝奭先生为“国学基本教材”题写书名；《儒藏》总编撰、德高望重的北京大学教授汤一介先生为我们赠书“圣贤之道”；丰子恺先生后人为我们提供了精美而颇有意蕴的24幅漫画用作丛书封面；朱青生教授为我们提供了汉画文献用于插图；画家李永源先生逾古稀之年，为这套丛书手绘了上百幅插画；浙江古籍出版社社长杨林海先生是我故交乡党，听闻我有意筹划一套面向中小学生的“国学基本教材”丛书之后，青睐有加，多方努力协调资源，亲自落实该套教材出版的相关事宜……所有殊胜因缘，都在襄助秋霞圃书院矢志传播中华传统文化的大愿，唯有在此深揖致谢。

由于主持者与编者的学识有限，尽管悉心编校，但不足之处难免，敬请方家、读者指正，以便来年修订时，相应校正。

意见和建议可致电：021-66366439，13816808263。通信地址：上海市嘉定区南大街嘉定孔庙秋霞圃书院，邮政编码：201800，电子邮件：qiuxiapu@163.com。

李耐儒

癸巳春于嘉定孔庙

图书在版编目（CIP）数据

千字文 / 汪佳敏编注．— 杭州：浙江古籍出版社，2013.9

国学基本教材

ISBN 978-7-5540-0112-7

Ⅰ.①千… Ⅱ.①汪… Ⅲ.①古汉语–启蒙读物 Ⅳ.① H194.1

中国版本图书馆 CIP 数据核字（2013）第 188697 号

千字文

汪佳敏　编注

出版发行　浙江古籍出版社
（杭州体育场路 347 号　电话：0571-85176986）
网　　址　www.zjguji.com
责任编辑　陈临士　伍姬颖
特约编辑　杨熙雯　丹　正
责任校对　余　宏
美术编辑　刘　欣
责任印务　贾　敏
照　　排　杭州立飞图文制作有限公司
印　　刷　富阳美术印刷有限公司
开　　本　880×1230　1/32
印　　张　5.375
字　　数　126 千字
版　　次　2013 年 9 月第 1 版
印　　次　2013 年 9 月第 1 次印刷
书　　号　ISBN 978-7-5540-0112-7
定　　价　10.50 元